Y0-BED-559

DE LA RENAISSANCE

DU MÊME AUTEUR

De la reconquête, Fayard, 1983.

CATON

DE LA RENAISSANCE

Fayard

PROLOGUE

Barre le « légitimiste », Chirac le « bonapartiste », Giscard l' « orléaniste », Mitterrand le « monarque », Veil le « centre-droit européen », Rocard le « centre-gauche moderniste » : ces six personnages, sauf accident ou décès, ce qu'à Dieu ne plaise, c'est une lapalissade de dire qu'ils seront au premier rang des batailles politiques françaises des années à venir. Si j'avais quelque goût pour la politique-fiction, nous pourrions nous amuser ensemble à un feuilleton à suspens et rebondissements divers qui débuterait quelques mois avant les élections législatives de 1986.

On y verrait, par exemple, le parti communiste se demander anxieusement s'il rassemblera plus de 10 % des suffrages exprimés, et se plaindre amèrement de la dureté des temps : la classe ouvrière s'est rétrécie au lavage post-industriel, les cadres de l'informatique ou de la chimie s'embourgeoisent et, hélas, hélas, hélas, les immigrés ne votent toujours pas. Avec cette fichue proportionnelle décidée par le Machiavel de l'Elysée, qui se prépare à gouverner au centre en espérant réussir là où Giscard avait échoué, les vaillants camarades de la Place du Colonel Fabien savent qu'ils n'ont aucune chance de demeurer aux affaires. Alors, faut-il partir avec éclat avant d'être congédiés ? Faut-il demeurer, stoïques, jusqu'au bout, en espérant que les électeurs de la Fonction publique et les passagers du Paris-Nice sauront ne pas oublier qui furent leurs ministres ? Grave dilemme. D'autant plus que la situation internationale se caractérise toujours par son flou artistique.

Le parti socialiste aurait achevé, non sans douleurs prénatales et ardentes souffrances métaphysiques, son aggiornamento. Delors, l'ancien Saint-Sébastien percé de flèches, l'apôtre farouche de la rigueur, est Premier ministre depuis bientôt deux ans. Miracle : il est désormais fort entouré, sur les chemins escarpés du réalisme économico-social. Les instituteurs, au bout de quatre ans, ont commencé à comprendre ce que veut dire un différentiel d'inflation. Leurs poings farouches ne serrent plus la rose d'Epinay mais une calculette électronique ; à chaque fin de mois, à l'annonce des chiffres du chômage, de la hausse des prix et du commerce extérieur, ils crient en tapant des mains : « On a gagné ! On a gagné ! » ou observent, si les indices sont plus sombres, un silence prudent. Certains, tel le chœur antique, osent encore entonner mezzo voce — très très mezzo voce — la complainte des fidèles : « Et Jaurès, dans tout cela ? Et Blum ? Et l'auto-gestion ? — Plus tard, répond la foule. Parons au plus chiffré. » Jean-Pierre Chevènement, Didier Motchane et leurs amis du CERES ont pris le maquis ; le 18 juin 1986, quelques jours avant le premier tour, ils lanceront un appel au peuple français, dénonçant la trahison social-démocrate et réclamant un gouvernement de salut public pour la reconquête du marché intérieur.

Jacques Chirac se prépare à être, au lendemain des élections, de nouveau Premier ministre. Cela fera tout juste dix ans qu'il aura lancé sa démission à Giscard. Il est en campagne depuis un an. Paris lui appartient. Le RPR, uni comme un seul homme autour de son chef, multiplie les meetings à grand spectacle, avec écran géant, lasers et confetti. Le slogan le plus fréquemment entendu : « Chirac Président. » Une seule ombre, et de taille, au tableau : cette foutue proportionnelle. Les zigotos de l'UDF ne sont-ils pas prêts à aller à la soupe ? Et pas seulement Stirn ou Péronnet, Stasi ou Méhaignerie, mais le gros de la troupe. Simone Veil elle-même, si elle estime que la situation est suffisamment grave pour exiger un consensus national, ne serait-elle pas capable d'accepter Matignon ? Comment, Poussinette ferait ça ? Oui, elle pourrait le faire. Avec une totale sincérité. Et avec une non moins totale conviction. Et comme elle est maillot jaune des sondages, une partie des Français risquerait de la suivre... Misère. Et tu crois que Mitterrand préférerait choisir Veil que Chirac ? Parbleu, c'te question ! Misère. On est les meilleurs et on ne peut même pas être complètement heureux. Pas juste.

Valéry Giscard d'Estaing la connaît enfin,

cette traversée du désert qu'il ne voulut pas effectuer dans l'après-mai 1981. Bien sûr, il sera élu à Clermont-Ferrand. Amère victoire. L'UDF, cette ingrate, s'est donnée à Barre, lui voyant plus d'avenir qu'à moi. Tous ces députés que j'ai faits, tous ces énarques que j'ai nourris, choyés, protégés... Giscard se souvient du début de l'hallali : le premier coup de poignard — le plus douloureux — avait été porté par Raymond Aron dans l'*Express,* en août 1983. Le vieil intellectuel quittait le navire en reprochant à l'ancien Président de ne pas avoir pris tout de suite quelques années sabbatiques, et se rangeait implicitement sous la bannière de Raymond la Science. Les autres, moutonniers, avaient suivi. Mais un homme d'Etat ne se décourage pas pour autant. Ses amis du Conseil pour l'Avenir de la France sont toujours là, fidèles, autour de lui. Et les analyses de la Cofremca sur « les courants porteurs » de la société française continuent de le rassurer. Ce groupe central qui constitue la majorité des Français, il reste mieux à même de l'incarner que tout autre. C'est vrai qu'il aurait dû faire en 1974 ce que Mitterrand a fait en 1981 ; c'est vrai aussi qu'un mode de scrutin largement proportionnel aurait pu l'avantager. Mais l'heure n'est pas aux regrets inutiles. Les présidentielles sont pour 1988. En deux ans, bien des choses peuvent se passer. En attendant, il ne s'est pas opposé à l'ascension de Barre. Entre le député de Lyon et le maire de Paris, son cœur, on s'en doute, ne balance pas.

Raymond Barre, quant à lui, ne s'est pas

donné à l'UDF. Il continue, imperturbable, sur sa lancée « gaullienne », psalmodiant d'une voix chantante son inaltérable credo : l'indépendance nationale, unique objet de son combat, ne sera assurée véritablement que par la force du franc, la maîtrise de l'inflation, les équilibres du budget et du commerce extérieur : si ces quatre nécessités ne sont pas remplies, rien ne va plus. En faisant répéter chaque soir aux Français leur leçon d'économie, la gauche a rendu un fieffé service au cher professeur. Puisque l'essentiel est dans les chiffres, se sont-ils dits, un économiste professionnel, qui par surcroît tient exactement les mêmes propos depuis dix ans, c'est toujours bon à prendre. Le texte, qui agaçait hier, rassure aujourd'hui, même s'il persiste à ne pas enthousiasmer. Belle ascension en douze ans pour celui qui prit en mai 1974 la tête d'un comité d'économistes favorable à la candidature de Valéry Giscard d'Estaing. Comme l'écrivait joliment Jean Bothorel : « Barre a acquis la certitude que toute équipe au pouvoir qui ne serait pas dirigée par lui conduirait le pays à la catastrophe... Il y a chez lui un orgueil immense qui n'est pas sans rappeler celui du général De Gaulle ; loin de chercher à le dissimuler, il le brandit. Cette explosion du " moi " va provoquer d'énormes dégâts dans l'univers giscardo-chiraquien[1]. »

En 1986, il ne s'agit plus de dégâts, mais d'un glissement de terrain qui a notablement modi-

1. *Le Pharaon,* Ed. Grasset.

fié le paysage. Barre et Chirac apparaissent comme les deux candidats sûrs de l'opposition aux prochaines présidentielles, le premier portant les espoirs de l'U.D.F., le second ceux du R.P.R. Mais, curieusement, à la veille des législatives, c'est Simone Veil qui paraît en pointe, Barre s'étant mis lui-même hors jeu : il a dit et répété, dès 1983, qu'il n'avait jamais cru à une cohabitation possible entre le Président en place et un Premier ministre issu de l'opposition. Cela dénaturerait, dans la lettre et dans l'esprit, les institutions de la Ve République. Pas question pour lui d'aller à Matignon : il restera député de Lyon. Mais il y a plus grave : avec la proportionnelle, Mitterrand peut espérer des ralliements individuels, c'est-à-dire le retour, — horreur des horreurs, crime majeur contre l'esprit — de la IVe République. Pour Barre, pas de doute : si les résultats des élections législatives montrent clairement que le Président est désavoué, il doit partir.

Cette orthodoxie institutionnelle n'est pas sans agacer certains membres de l'UDF. Car enfin, quand Giscard répétait : « Je ne déserterai pas la fonction que j'exerce. Un Président de la République, élu pour sept ans, chargé d'assurer la continuité de l'Etat, ne doit pas interrompre ses fonctions en raison des résultats d'une élection qui s'applique à d'autres qu'à lui » ; et quand il ajoutait, en janvier 1978, à Verdun-sur-le-Doubs : « Vous pouvez choisir l'application du Programme commun. C'est votre droit. Mais si vous le choisissez, il sera appliqué. Ne croyez pas que le Président de la République ait dans la Constitution des moyens de s'y opposer... » — que faisait Raymond Barre, alors Premier ministre ? Comment avait-il réagi à cette lecture giscardienne de la Constitution, visiblement aux antipodes de la sienne ? Il se montra, en tout cas, fort discret dans son indignation, si tant est qu'elle existât. Ni protestation publique, ni menace de démission devant ce grave manquement aux Tables de la Loi. Ce qui est condamnable chez Mitterrand ne l'était-il donc point chez Giscard ? Barre changerait-il d'avis selon la tête du client ?

Certaines têtes du parti républicain déplorent, en tout cas, cette mise entre parenthèses. Comme ils le préféraient en train de rompre des lances contre Chirac, par exemple à l'Assemblée nationale, en séance plénière : « Je dirai que, même si j'avais eu le désir de critiquer mes prédécesseurs, je n'en aurais pas eu le temps, tellement on m'a laissé de choses à faire, à défaire et à refaire. » Ou encore, il n'y a pas si longtemps, au cours d'un dîner : « L'ordre que l'opposition devra remettre, c'est le même ordre que j'ai eu à remettre en 1976 ! » Ah, comme on l'apprécie quand il dresse un impitoyable bilan de la gestion socialo-communiste !... Oui, mais voilà : en cette veille d'élections législatives décisives, il refuse l'éventualité d'être à nouveau chef du gouvernement, se privant ainsi pendant quelque temps de son rôle de candidat de l'UDF, et laissant, quoi qu'il en ait, Chirac occuper le terrain.

Un doute horrible effleure à nouveau certains de ses partisans : Barre est-il vraiment un politique ? Certes, un nombre croissant de Français lui font confiance. Heureusement, ils ont oublié que le chômage, l'inflation et les emprunts extérieurs existaient déjà — lourdement — avant mai 1981. Mais, à l'heure des bourrasques planétaires, la comptabilité tranquille d'un Poincaré sûr de lui et dominateur suffira-t-elle à mobiliser les populations ? Il est bon de revêtir les habits neufs du président De Gaulle ; encore y faudrait-il la formidable puissance du Verbe. De ce côté, malheureusement, on est loin de compte.

Je pourrais encore continuer à errer dans les labyrinthes du futur, évoquer le Florentin de l'Elysée jonglant avec toutes les armes de la Constitution : article 16, dissolution, démission, élaborant les scénarii redistributifs permis par l'introduction de la proportionnelle et le redécoupage des circonscriptions, jouant avec la palette politique comme il jouait avec les courants du PS, mesurant l'incompréhension dont a longtemps été l'objet de la Ve République, et qu'il partagea : « Le Général de Gaulle croyait avoir détruit le régime des partis, ses adversaires pensaient subir un pouvoir personnel quasi dictatorial, alors que la France découvrait un authentique régime de parti par le biais du pouvoir du chef[1]. » Paradoxe qui fait sourire l'ancien pamphlétaire indigné du *Coup d'Etat permanent.* Mitterrand ne démissionnera pas. Selon les résultats, il appellera Simone Veil ou

1. Extrait de l'excellent article d'Olivier Duhamel dans *Commentaire,* été 1983.

Michel Rocard et, évidemment, en cas de nette victoire du RPR, Jacques Chirac. Ses préférences iraient tout de même à la première alternative. L'UDF sans ses extrémistes, le PS sans ses protectionnistes : rassemblement et recentrage, mon beau souci...

Laissons pourtant de côté la politique-fiction : il y a plus urgent. Nous avons suffisamment dit et répété que nous ne nous maintiendrons pas au pouvoir, demain, en y revenant avec les idées d'hier. Laissons la gauche s'enliser dans les marécages d'une gestion difficile, c'est son affaire, avions-nous écrit ; tôt ou tard, elle devra payer la facture. Soit.

Mais c'est aussi, à terme, notre affaire ; et le premier des devoirs d'opposition consiste dès aujourd'hui à traduire en langage clair les formidables mutations mentales, sociales, technologiques qu'est en train de connaître l'Occident depuis une dizaine d'années. Je suis tristement fasciné par les années-lumière séparant ces transformations de fond et la vétusté d'un langage politique qui, pour l'essentiel, semble sortir tout droit d'une fin d'agapes radicales-socialistes de la IIIe République. Présenter l'adversaire comme l'incarnation du Mal ; parler de la France comme s'il s'agissait d'une navette spatiale voguant dans une royale solitude, le long de la Voie Lactée ; s'accrocher, faute de grives, à un ultra-libéralisme d'importation qui ne marche même pas sur son terreau d'origine ; tenir un discours électoraliste et démagogique sur la violence et l'immigration, au risque d'attiser des tensions sociales et ethniques qui nous joueront tôt ou tard de mauvais tours ; se cantonner dans un négativisme stérile, et considérer que la guerre civile commence au petit déjeuner ; tout cela, qui fut de bon aloi dans les années de croissance, témoigne aujourd'hui d'un provincialisme désuet et d'une autarcie intellectuelle qui ne laissent pas d'inquiéter. Où sont les idées nouvelles ? Les comportements inédits ? Les langages inouïs ? Comme sœur Anne, j'ai beau scruter, je ne vois rien venir, que Debré qui poudroie et Ponia qui verboie.

Parlons franc : ce n'est pas avec des calembredaines de salle de garde que nous allons réveiller les Français. Ce n'est pas avec des rapports comptables et des homélies ternes sur le mieux-être du commerce extérieur que nous allons les mobiliser. La guerre culturelle et économique mondiale fait rage sur tous les fronts, impliquant que chacun se retrouve « avec la réalité rugueuse à étreindre ». Au lieu de tenir le discours de rupture qui serve la pédagogie de ce gigantesque déplacement des signes, nous baignons encore dans le même consensus clientéliste, les zizanies de clocher et les vieilles scènes de ménage. Arrêtons de nous enliser dans ces combats d'arrière-garde. Il y va, sans exagération, de notre survie.

Tout a craqué : la société, les mœurs, l'économie, les classes sociales, les certitudes idéologiques. La forêt s'est mise en marche, un nouveau paysage se découvre. Quel y sera notre rôle ? Quelles seront les tâches des nouveaux princes d'une France qui change plus vite que nous ? Quelles valeurs orienteront désormais les actions d'un Etat qui ne pourra plus jamais jouer les bonnes à tout faire ?

C'est à l'esquisse de réponses précises qu'à présent nous vous convions. C'est-à-dire rien moins qu'à l'élaboration d'un grand dessein de Renaissance, qui vaudra qu'on se mobilise et qu'on s'implique. Au revoir donc, l'espace d'une réflexion, aux jeux de la vieille politique ; bonjour à la responsabilité, au risque, au désir et à l'Histoire.

CHAPITRE PREMIER

Bon anniversaire, Madame la Crise

« Après tout, penser est une opération pas tellement coûteuse, socialement parlant. » La phrase est du mathématicien René Thom. Bon anniversaire, Madame la Crise : cela fait exactement dix ans qu'elle entra par la grande porte, enrubannée de pétrodollars, Salomé tragi-comique esquissant pour notre inquiétude la danse des sept voiles : inflation, chômage, dévaluation, récession, déficit, endettement, contrôle. Nous l'applaudîmes avec cette résignation cynique qui caractérise notre temps. Nous lui offrîmes la tête d'Henry Ford sur un plateau d'argent : la société de consommation à outrance avait vécu, mais nous ne le savions pas encore.

Soyons sérieux : nous ne sommes pas assez obtus pour n'avoir pas senti, çà et là, d'inquiétantes prémices. Il me souvient d'un film montrant la rentrée à l'usine Wonder de Saint-Ouen, en juin 1968. Une ouvrière, encadrée par deux délégués syndicaux, pleurait. Les représentants assermentés du monde du travail avaient beau lui dire que les masses populaires avaient gagné, que « nous » rentrions la tête haute, que les augmentations de salaire avaient été accordées, que les travailleuses pouvaient être fières, que ceci, que cela, elle n'écoutait pas, elle n'en avait que faire : elle allait retrouver le même travail stupide, routinier, polluant, les mêmes cadences, les mêmes horaires imposés, le même faciès autoritaire du petit chef : jamais cent francs de plus par mois n'aboliraient la béance insigne de la répétition. Cette ouvrière témoignait du fait que dans certains secteurs de notre douce France, le taux de frustration avait déjà dépassé le taux de production. Et que nous n'avions guère à nous en réjouir.

D'autres signes, plus abstraits, eussent dû nous avertir : les investissements, entre 1967 et 1973, s'accroissent de 63 %, tandis que la production n'augmente que de 41 %, d'où le recours systématique à l'emprunt. L'économisme, déjà, pour boucher les trous. Il ne fallait surtout rien dire aux Français. L'homme politique le plus accompli de cette décennie : Nounours. Bonne nuit, les petits. Protégés, remboursés, assistés, de l'utérus au cercueil. Grand-père Ford nous l'avait dit : augmentez le pouvoir d'achat et fabriquez beaucoup de petits consommateurs.

Qu'un hommage solennel, en guise d'adieu, soit ici rendu à la société industrielle productiviste. Notre Descartes, qui règne aux cieux de l'Occident socialo-capitaliste, nous avait appris que l'homme était là pour exploiter la nature et la façonner à son image. En trois siècles, nous avons bien travaillé. Le marché régulé par l'Etat, la prospérité pour tous les petits blancs, la conquête de l'Ouest et de la lune : nous ne perdîmes point notre temps. Le plein emploi, la hausse régulière du pouvoir d'achat, l'épanouissement du produit intérieur brut : la pauvreté n'était plus qu'une figure de style dans un roman de Zola, rien n'allait pouvoir arrêter cette irrésistible ascension vers le bonheur considéré comme produit de première nécessité.

En dix ans, le voile s'est déchiré et l'inversion des signes, accomplie. Le réveil est dur : bouche pâteuse, haleine lourde. Le navire prend eau et, pourquoi le celer, nous eûmes de plus en plus de peine à tenir le gouvernail.

Certes, depuis deux ans, d'autres que nous tiennent la barre. Nous découvrons le sarcasme, comme eux-mêmes, pendant plus de vingt ans, nous abreuvèrent d'injures. C'est, paraît-il, le jeu. Terminé : il faut en changer les règles. Comme le disait un jour, de manière saisissante, un syndicaliste CFDT parlant des « patrons » : « Nous voulons les faire bouger, pas les détruire. » La reconquête devra désormais passer par l'invention tout à la fois raisonnée et intuitive d'un consensus, sauf à s'abîmer dans des guérillas civiles, pourvoyeuses et accélératrices d'une décomposition dont on ne décèle que trop les remugles annonciateurs.

La Constitution de la Ve République exige en effet l'affrontement. La politique y devient la guerre civile poursuivie par d'autres moyens. Scrutin uninominal pour les législatives, combat de « champions » aux présidentielles : être « majoritaire » signifie non seulement la défense absolue du gouvernement (émanation du chef de l'Etat), la fidélité sans faille à celui-ci, mais aussi la seule incarnation admise du régime ; l'adversaire — celui qui met en question cette triple marque d'adhésion — devient un trublion séditieux, l'empêcheur de gouverner en rond, perçu à la limite comme immoral, et — au diable l'avarice — inconstitutionnel. De ce point de vue, il est amusant de rappeler que le terme « opposition » n'apparaît pour la première fois dans un texte juridique qu'en juin 1974, à l'occasion de la réforme de la procédure des « questions au gouvernement ». Comme l'écrit Daniel Prat [1] : « Puisque la conquête de la majorité permet de faire la loi, le droit n'est donc qu'au service de cette majorité. » Pour la gauche — quoi qu'en dise aujourd'hui l'ex-Premier secrétaire du Parti socialiste —, l'opposition politique est en même temps « l'ennemi de classe » qu'il faudra éliminer à tout prix ; pour la droite, le pouvoir actuel n'est qu'un mauvais moment à passer, une parenthèse cauchemardesque dans l'histoire glorieuse de notre pays. Michel Debré écrivait, le 26 mars 1983, dans le *Figaro-Magazine :* « ... Au lendemain des cantonales, j'avais ici même lancé un signal d'alarme : " Le gouvernement socialo-communiste a été légitime. Il n'est plus que légal. Il peut vite devenir illégitime. " Voilà qui est fait. » Debré, qui rassembla sur son nom 1,65 % des voix au premier tour des dernières élections présidentielles, n'est pas effleuré par le doute à

1. Revue *Intervention* n° 4, 1983.

propos de sa propre légitimité. Une pensée unique l'étreint : écrasons l'infâme qui n'est pas comme nous ! Ainsi va la politique, combat de zombies dans un courant d'air, cependant que la France et le monde en sont à affronter le plus grand mouvement de bascule de ce siècle.

Je n'ai cessé de le répéter à mes amis : il n'est que temps de se ressaisir. Si nous continuons à préparer les guerres de demain avec les stratégies d'hier, les Français risquent un jour de devenir plus intelligents que nous. Pis : de s'en apercevoir. Nous avons changé de société, mais pas de langage. Nous agissons exactement comme des galopins en train de jouer aux cowboys et aux indiens alors que l'incendie gagne déjà le premier étage. Mais si ce n'était que l'incendie ! Il y a aussi la moisissure. La poussière. Les fissures qui se multiplient dans les rues, les usines, dans les têtes. On ne peut plus, aujourd'hui, continuer à fantasmer sur les « 49/51 % », cette « illégitimité secrète » dont parlait André Malraux. Antienne bénie des politologues, des sondeurs et des candidats : 45 % des Français votent systématiquement à gauche, le même nombre choisit sans hésiter la droite, et les 10 % du « marais » font la décision. Justesse de la statistique, fausseté du raisonnement : qui ne voit que dans la société informationnelle qui nous entoure déjà, le consensus devra être autrement plus probant ?

Il est vrai que nous avons voulu, le plus sincèrement du monde, le bonheur des Français. Qu'ils souffrent le moins possible, tel était notre objectif ; après tout, nos pauvres n'étaient pas ceux du Tiers-monde. Ils avaient droit à l'ascension sociale, au scanner médical et à la retraite contemplative. Et si nous nous trouvâmes fort dépourvus quand la crise fut venue, ce n'était pas faute d'avoir œuvré. Est-ce notre responsabilité si les mécanismes mêmes qui assurèrent notre expansion commandent aujourd'hui notre stagnation ? Ivan Illich aurait-il raison, qui affirme connaître un seuil au-delà duquel une institution devient le principal obstacle aux buts qu'elle est censée servir ? La théorie des effets pervers nous frappe de plein fouet. Nous n'irons plus au bois, la croissance est stoppée : on aurait pu nous prévenir. Nous laisser le temps de nous recycler. Le drame de la politique-spectacle, c'est qu'elle ne permet plus la traversée du désert : il y a désormais une caméra derrière chaque dune.

Il faut nous rendre à l'évidence : nous n'avons plus les moyens du manichéisme. La vertu tout entière réfugiée dans un camp, et l'opprobre dans l'autre ; les bons Français avec nous, les mauvais au gouvernement ; les essences figées pour l'éternité au ciel des vérités révélées, c'est fini. Machiavel n'y retrouverait pas ses petits : nous sommes désormais condamnés au mentir-vrai. Dure métamorphose : la démagogie doit venir positive parce que, tout simplement, nous ne pouvons plus faire le ménage partout, nourrir les pensionnaires, payer, outre les allocations, le gaz, l'électricité, le téléphone et les charges ; nous ne pouvons plus rien promettre. Voici venir une nouvelle race d'hommes politiques : ceux qui disent la vérité parce que, pour la première fois, c'est *payant*. Faisons donc de nécessité vertu. Il est vain de feindre d'organiser ces mystères qui nous dépassent, comme il est ridicule de clamer à tous vents que la crise est mondiale pour mieux s'en débarrasser, comme s'il s'agissait d'un orage passager ou d'un accès d'urticaire.

Qui sommes-nous ? L'opposition. Que voulons-nous ? Le pouvoir. Lapalissade immédiatement corrigée par l'angoissante question : quelle France allons-nous ramasser ? Et dans quel état ?

Bon anniversaire, Madame la Crise, et merci. Grâce à vous, nous avons gagné du temps. Nous sommes passés d'une société de production et de consommation à une société d'information et de création ; d'une société d'apparente sécurité à un système à hauts risques ; du principe de contradiction binaire (droite-gauche, bon-méchant, français-étranger, Est-Ouest, Nord-Sud, marxistes-capitalistes, libéraux-étatistes, et autres couples célèbres, dont la popularité dans les chaumières et le rapport qualité/prix ne sont plus à souligner) à un concept général de complexité. Nous n'hésiterons plus désormais à dîner avec notre ennemi intime : la coalition des concurrents n'est pas un vain slogan. Nous parlerons moins d'objets produits et consommés que d'idées transmises et valorisées ; moins de fixité que de fluidité ; à l'irresponsabilité hargneuse des castes et corporations, nous opposerons l'autonomie et l'implication de la démocratie participative ; à la solitude considérée comme art de vivre, la multiplication de groupes informels en vue d'actions précises. L'Etat-Providence agonise : nous ne pratiquerons pas à son égard l'acharnement thérapeutique. Les masses dormaient de leur plus moelleux sommeil : elles vont être, hélas, obligées de se réveiller. Les adeptes de la toute-puissance du marché et du « laisser-faire, laisser-aller » pointent un museau qu'ils prétendent victorieux ; nous démontrerons leur naïveté laborieuse. Les nationaux-protectionnistes de la « France seule » veulent nous « protéger », comme Al Capone protégeait ses débits de boisson : nous montrerons qu'il s'agit d'un des plus courts chemins vers l'abîme.

Il ne messied pas de consulter parfois les publicitaires. Nous avons vu que, dans certains cas, un clocher de village au second plan peut faire des merveilles. Or, il entre dans les stratégies adoptées par ces grands prédateurs une hypothèse de base à partir de laquelle ils élaborent la manière la plus subtile de vendre un détergent, un présidentiable ou une multipropriété. Cette hypothèse, la voici : 80 % des Français sont morts. C'est-à-dire qu'ils appartiennent à l'immense troupeau des subjugués, des suiveurs, de ceux qui ne demandent qu'une chose : paître tranquillement leur pelouse. L'ambition des publicitaires est donc de convaincre les 20 % de « décideurs », d' « indépendants », ceux qui font les modes, qui contribuent à créer les nouvelles normes. Ceux qui entraîneront les autres. Le message doit donc arborer les mille et une teintes de la complexité : les « autonomes » ne s'en laissent pas facilement conter. Il s'agit, pour nous aussi, de parler aux vivants, à cette différence près que nous n'avons pas un produit marchand à leur vendre, mais une idée, infiniment plus fragile, plus volatile, plus essentielle : la prise en charge de chacun par lui-même, seul moyen, non de sortir de la crise par je ne sais quel remède-miracle, mais de s'en emparer pour bâtir les chemins du meilleur contrôle possible de sa propre vie. *Nous autres hommes d'Etat savons désormais que nous sommes menacés ;* et que pour survivre, il va falloir maigrir. Sérieusement. Et se muscler. Assidûment.

Après avoir longuement — et légitimement — invoqué la charte des Droits de l'Homme et du Citoyen, il n'est que temps de parler de nos devoirs. Devoirs de responsabilité, de solidarité : exigences fondamentales que la crise requiert, puisqu'en dépit de quelques bonnes paroles faussement rassurantes, elle nous est devenue résidence principale. Nous fûmes démagogues : il va nous falloir devenir pédagogues.

Nous avons négligé des armes d'une redoutable efficacité : tout l'arsenal de l'information-culture, de l'ordinateur à la télévision, du câble au satellite. Les machines à communiquer ont débarqué : nous n'en sommes encore qu'aux borborygmes, mais leur langage commence à faire ses premières phrases. Et par un de ces « hasards objectifs » qu'affectionnait Hegel, la valeur « ajoutée » de la société d'information-participation (c'est-à-dire l'imaginaire, la créativité) correspond exactement à la nouvelle éthique de la crise. Il nous faut, comme les conquistadors d'antan, apprendre à observer l'Autre, non pour le dominer, mais pour s'y adapter : tout comportement — même hostile — est un message, toute parole — même désagréable — est communication. Nous voici contraints, gauche et droite, patrons et syndicalistes, gouvernants et gouvernés, citadins et paysans, de nous reconnaître : non pour nous étreindre dans je ne sais quelle fraternité de pacotille, mais dans le dessein très pragmatique de débloquer des archaïsmes dont l'affrontement sans merci ne pourrait être, à terme, que catastrophique pour tous. Les technologies les plus modernes nous permettent désormais de ressusciter la démocratie gréco-romaine : voici venir le temps de l'agora télévisuelle, du forum électronique. Loin de moi la pensée de faire de ces machines de nouveaux fétiches d'une société de consommation déboussolée, en quête de produits de substitution. Quand Morse inventa la télégraphie et qu'on établit la première communication entre l'Etat du Maine et Washington, quelqu'un posa la question nécessaire : « Oui, c'est très joli tout ça, mais est-ce que le Maine a *quelque chose à dire* à Washington ? » L'informatique, la télématique ne seront rien d'autre que ce que nous en ferons : réceptacles de paroles libérées, plurielles, métisses et signifiantes, ou chambres d'écho de la parole officielle de Big Brother.

Il faut se faire une raison : on ne gouverne plus par le silence ; il urge de se parler, au-delà des passions et des cynismes. Organisons à toute allure le spectacle de nos affrontements. Devenons les metteurs en scène des inconscients collectifs de nos administrés. Me revient le titre d'une pièce de café-théâtre : « *Ce n'est pas parce qu'on n'a rien à dire qu'il faut fermer sa gueule.* » Il y va de notre tranquillité d'après 1986, date à laquelle, si tout va bien, nous reviendrons au pouvoir. Pas d'illusions : nous n'y serons plus seuls. Dans une France en récession, comment gouverner avec 51 % des votants ? Les Michel Debré d'en face — ils existent — auront tôt fait de proclamer, à leur tour, notre « illégitimité ». Il est grand temps, mes chers amis, croisés de la revanche, conservateurs pressés, de remettre vos compteurs à zéro. Contempteurs du collectivisme diabolique, de réfléchir un moment. La cire dans les oreilles ne peut faire longtemps office d'idéologie politique dominante. L'infantilisation comme méthode de gouvernement a vécu. Voici venir le temps de l'ouverture sur le monde, de la souplesse et de la vitesse, de la créativité et du jeu, de la performance et de la compétitivité, du désir d'entreprendre et de l'apprentissage des nouveaux accès au savoir, devant son petit écran, derrière son terminal d'ordinateur, dans les bureaux, les usines, les salles communes des HLM... Le tout organisé par l'ex-Etat-Providence devenu Etat-metteur en scène. Aujourd'hui, ce n'est plus chez Machiavel que les énarques ambitieux doivent prendre des leçons, mais chez Cecil B. De Mille et Fellini, Jean-Luc Godard ou Howard Hawks. Nous sommes condamnés à ouvrir les vannes de l'expression et des désirs. Après tout, chers amis, ce ne sera pas un si mauvais moment à passer.

Reconversion inéluctable : nous n'avons plus intérêt à nier l'adversaire, mais à le subvertir. Nous devons donc mettre en œuvre une « participation » qui déborde très largement l'acception paléogaulliste du terme. La principale erreur des socialistes fut, jusqu'ici, de nous imiter, en continuant à gouverner « par le haut », cependant que les masses, éberluées et vachardes, regardaient passer le train d'enfer des réformes. Comme le dit Michel Foucault dans son dialogue avec Edmond Maire : « Le gouvernement et les partis au pouvoir ont simplement omis de dire la vérité, de poser le problème, de dire les difficultés qui nous attendent... Situation paradoxale : l'accession de la gauche au pouvoir qui ne s'accompagne d'aucun mouvement social, contrairement à notre tradition historique[1]... » Mauvaise nouvelle pour la classe politique : elle ne peut plus mettre les Français entre parenthèses. Nous ne pouvons plus, à la lettre, nous « payer » leur indifférence. Ce qu'implique la société d'information-participation, c'est l'engagement. D'où les véritables révolutions culturelles à accomplir en matière d'enseignement et d'éducation : l'apprentissage de l' « apprendre », la formation permanente, le recyclage, etc. Quand, selon une étude de l'OCDE, deux salariés sur trois devront se reconvertir durant les dix prochaines années, les abolis bibelots d'inanité politicarde

1. *Le Débat*, mai 1983.

doivent laisser place à une intense et historique période de pédagogie à l'intérieur, et d'actes souverains à l'extérieur. Exclure l'autre, à l'heure où l'on a besoin de tous, devient pire qu'un crime : une stupidité.

Il est temps d'élargir le champ sémantique. A la caractéristique première de la démocratie : l'élection populaire, le droit de vote, qui confère le maximum de légitimité, s'est ajoutée, depuis quelques années, la démocratie statistique des sondages. Ainsi, chaque semaine, s'organisent plusieurs élections blanches et bon nombre de référendums. Ce n'est pas le lieu ici de discuter de la justesse ou des effets pervers de ces consultations, qui font la joie des espaces imprimés et provoquent quelques salivations audiovisuelles plus ou moins bien venues. Mais la république des sondages est toujours celle des zombies : aseptisés, récurés de toute passion et de tout sentiment, des milliers de fantômes se parlent d'une voix blanche. Communication sourde, amorphe, passive : il s'agit bien, ici, de cette « masse » silencieuse et opaque dont parlait Baudrillard, qui ne réagit que quand le sondeur la pique. Ersatz de parole libre, simulacre de dialogue : le sondage, c'est la danse des morts.

Il existe aujourd'hui une troisième *voix* royale, autrement plus intéressante : celle de la démocratie électronique, dans laquelle des hommes et des femmes en chair et en os prendront la parole pour s'expliquer, informer, revendiquer, témoigner, devant d'autres hommes et d'autres femmes qui leur répondront s'ils en ont envie. On sait depuis longtemps que l'expression du vote ne suffit plus, étant par essence globalisante, schématisante, arasant la quotidienneté et les petits « récits » pour de grandes épures irréelles, supprimant tout consensus, n'étant jamais qu'un nécessaire déséquilibre entre deux affrontements ; parole caricaturale et cependant indispensable : il n'est que de visiter les pays où elle n'existe pas... Mais à ce suffrage universel, ne vaut-il pas la peine d'ajouter les mille et un sentiers de la parole directe, captée sur câble, satellite, tube cathodique ou bande magnétique ? La France, ici, avec ses trois chaînes étiques et son monopole antédiluvien, fait figure de parent pauvre face à ses partenaires européens, sans même parler des Etats-Unis. Que nous ne soyons pas capables, à l'heure où j'écris, de nous offrir des images 24 heures sur 24, à l'intention des cinquante-cinq millions de minorités agissantes qui composent notre pays, en dit long sur la peur insigne qu'ont nos princes de tous bords de perdre le contrôle de l'information, alors que c'est précisément en la déployant, en la démultipliant qu'ils verront se forger un consensus.

La plus belle histoire d'amour-haine du XXe siècle est celle qui unit — et divise — l'Etat et la société civile. Mariage indissoluble, sous le régime de la communauté réduite aux acquêts ; Créon et Antigone s'affrontent, — parfois physiquement —, se tolèrent, se détestent, mais ne peuvent se passer l'un de l'autre. Certains voudraient réduire l'Etat à sa plus simple expression, afin de laisser faire un autre couple célèbre, star tant de fois liftée du boulevard du crépuscule libéral : l'Offre et la Demande. D'autres voudraient que l'Etat régente, tranche, légifère et ordonne en toutes matières, comme cela se passe à Moscou ou à Pékin. Il en est aussi qui font confiance à la société civile pour s'équilibrer elle-même, trouver sa régulation dans l'autonomie et le sens de la responsabilité de chacun. Les figures de ballet sont nombreuses : reste que ni l'Etat (contrairement à ce que, pour des raisons opposées, eussent désiré Marx et Adam Smith) ni la société civile (sauf en cas d'holocauste nucléaire) ne disparaîtront. Alors ? Ils pourraient peut-être apprendre, un peu mieux, un peu plus, à jouer ensemble. C'est la grâce jouissive que je nous souhaite.

Que ce propos n'égare personne : nous n'avons guère changé d'objectifs. Nous avions dit que Mitterrand allait, à travers vents et marées, nous « mâcher » le travail : nous ne croyons pas nous être trompés. Nous avions écrit que béni était l'intermède au cour duquel pouvait affleurer le Projet. Quand un essayiste qui se proclame nettement de gauche en arrive à écrire : « Il n'y a pas de solution socialiste à la crise que nous traversons... Il faut renoncer définitivement à l'idée que le socialisme constituerait une sorte d'alternative magique à la gestion rigoureuse de l'économie [1] », c'est que le métier, comme on dit vulgairement, rentre. Et qu'opère efficacement la pédagogie de la crise.

1. Jacques Julliard, in *Intervention,* été 1983.

La gauche officielle, dans l'impopularité des sondages et la gestion laborieuse d'un quotidien que nous connûmes bien, fait l'apprentissage du principe de réalité. Nous suffit-il d'attendre la chute de l'empire mitterrandien, ou de l'accélérer ? Stupide alternative. L'évidence est qu'il n'existe pas encore, dans notre camp, l'ombre d'un projet neuf ; que l'opposition en est encore demeurée aux ricanements qui font peut-être du bien au métabolisme, mais n'indiquent aucunement la voie à suivre.

Nous n'avons plus le choix. Nous devons être francs par machiavélisme, démocrates par instinct de survie, transparents par cynisme et mondialistes par absolue nécessité. Désormais, que nous le voulions ou non, la meilleure manière d'être français résidera dans cette citoyenneté du monde qui ne nous soumettra ni à la dictature monétariste du dollar prédateur, ni aux lendemains qui gémissent dans les goulags de l'Est. Valéry Giscard d'Estaing a déclaré un jour, visiblement satisfait de sa formule : « J'entends être un bon gestionnaire de l'entreprise France. » Nous devons avoir, aujourd'hui, des ambitions moins cantonales. A l'heure où la crise s'aggrave, il importe aux hommes politiques de retrouver l'Histoire. Et, si possible, de la faire. Notre pérennité — qui, après tout, nous importe quand même — est à ce prix.

Conclusion d'un article de Jérôme Jaffré dans *Le Monde,* à propos d'une série d'enquêtes de la SOFRES : « Il reste que, dans les grandes masses, les déçus du socialisme sont à la fois mécontents du pouvoir et éloignés de l'opposition. Ils forment ainsi un électorat de déshérence. De sa conquête — ou de sa reconquête — dépendront les résultats des prochaines consultations. » Ceux-là ne viendront pas à nous pour nos beaux yeux, mais pour l'espoir que nous parviendrons à faire briller dans les leurs.

CHAPITRE II

Le P.S. contre Mitterrand

« Je reviens d'un voyage long d'une année qui m'a permis de côtoyer de nombreux pays. Mon budget étant des plus étriqués, je dus vivre parmi des gens peu favorisés. J'ai vu de près le dérèglement nutritionnel aux Etats-Unis, la crise de l'emploi au Canada, l'effrayante phobie du travail au Japon, le royaume de la corruption en Thaïlande, l'extrême pauvreté qui sévit à l'état endémique en Inde, l'équilibre fragile des libertés en Chine, et découvert le Moyen Age sur les chemins népalais. De temps à autre, il m'arrivait de croiser des compatriotes qui, larmoyants, me racontaient une France qui de jour en jour s'effritait.

Je rentre donc avec toutes ces images dans la tête et je retrouve la France et surtout les Français... " Y'en a marre ! Ça va mal ! On ne s'en sort plus ! C'est la crise, le marasme ! " Et moi de rire. De rire et de respirer en traversant la France verte et riche de pâturages, vibrante de libertés... »

Eric LORANG,

Lettre de lecteur au *Monde*,
29 juillet 1983.

Depuis le 10 mai 1981, nous flottons. Le pouvoir — qui nous allait si bien au teint — a pris la poudre d'escampette. Exécutif, législatif : la grande braderie. Heureusement, nous nous sommes quelque peu rattrapés sur le municipal. Nous avons quitté, à regret, tréteaux et coulisses, laissant le théâtre à une plèbe aussi maladroite que ricanante. Vous vouliez le changement, concitoyens folâtres, électeurs capricieux ? Eh bien, vous l'avez ! Dansez, maintenant. Grâce à De Gaulle et à ses dons incontestables de haute couture constitutionnelle, la gauche peut dialoguer avec elle-même sans obstacle : les bébés-éprouvette d'Epinay s'en donnent à cœur joie dans le triangle d'or Elysée-Matignon-Palais Bourbon ; hélas, leurs élucubrations engagent la France, et quoi que nous fassions, ils gardent pour le moment l'initiative.

Ne sous-estimons pas l'adversaire : Mitterrand est un fidèle lecteur de Thucydide ; il n'abandonnera pas en cours de route, et dispose de missiles stratégiques non négligeables : l'article 16, la dissolution, le changement de la loi électorale, et — pourquoi pas — sa démission ; toutes armes dont il pourra jouer jusqu'en 1988. Pas de problème avec son gouvernement, formé de sympathiques nymphes au cœur fidèle. La vraie difficulté se terre à l'Assemblée, au sein de ses 286 députés-grognards, surfés par la vague rose de juin 1981 (et qui comptent, rappelons-le pour mémoire, 137 enseignants). Non qu'il faille s'attendre à une révolte généralisée ou à une surprenante manifestation suicidaire de ces honorables représentants du peuple : ils iront, eux aussi, jusqu'au bout de leur mandat. Mais ils ont buté comme un seul homme sur le piège-obstacle de la Ve République qui veut que le parti du Président soit uniquement composé de fantassins conditionnés à marcher au pas. Nous avons, orléanistes, légitimistes, bonapartistes, acquis depuis des lustres l'habitude du commandement; pour nous, obéir est aussi une seconde nature. Ce qui est proprement hallucinant, c'est que la gauche, qui aurait dû utiliser son pouvoir pour changer de terrain, déplacer les lieux du conflit, se soit si bien empêtrée dans la distribution des rôles.

La tâche était en effet immense, pour nos barbus : essayer de bâtir une nouvelle société, regagner la confiance d'un monde de managers et de financiers internationaux peu enclins à leur faire risette, conforter leur base électorale par des augmentations de salaire et de garanties, avant de la prendre à rebrousse-poil en lui expliquant que les largesses ne sont plus de saison — chaque fois que le dollar augmente de dix centimes, cela fait deux milliards de déficit en plus pour notre commerce extérieur —, que Ronald Reagan s'est beaucoup ennuyé à Versailles, qu'il n'a aucune envie de nous faire des cadeaux, et que les SS 20 de Youri Andropov nous tiennent tranquillement en otages ! Dès lors, qu'attendre d'un parti majoritaire ? Qu'il se répande partout, à la base, dans les lieux de vie, de travail, de participation, de gestion ; qu'il forme et informe sur les réalités de la crise, la nécessité de nouveaux rapports sociaux. En bref : le PS aurait dû assurer puissamment le service après-vente de l'état de grâce. Ne point seulement parler des droits acquis, mais évoquer d'exigeants devoirs. Chaque avancée du gouvernement, chaque loi nouvelle, chaque mesure destinée à métamorphoser le paysage auraient dû provoquer, de la part des députés et des militants socialistes, une mobilisation permanente, active, horizontale, répercutant aussi bien les effets des décisions prises que les réactions provoquées par celles-ci. Or, qu'avons-nous vu, à notre grande satisfaction ? Des leaders saisis par le prurit doctrinal, contrant systématiquement la plupart des mesures gouvernementales, dans un charivari et une cacophonie du plus bel effet. Les discussions talmudiques sont excellentes quand on n'a que ça à faire ; mais on ne gouverne pas un pays secoué par les grands vents de la guerre économique mondiale en brandissant chaque jour sa page de l'Evangile selon Saint-Karl, en annonçant triomphalement une quatrième dévaluation inéluctable pour avoir son portrait en première page du *Financial Times,* ou en se plaignant que le troisième paragraphe du plan Delors ne corresponde pas à l'alinéa 34 bis du Programme commun.

Délectons-nous ici, une fois de plus, à l'écoute de l'ineffable André Laignel, député socialiste de l'Indre et vice-président de la Commission des Finances à l'Assemblée nationale : « Nous ne sommes d'accord ni sur la baisse du pouvoir d'achat, ni sur le freinage de la consommation. Nous avons été élus pour lutter contre le chômage par la croissance. La baisse du dollar, du pétrole et des matières premières nous aidera à réduire l'inflation et à défendre le franc. Rien ne nous interdit de faire autant de protectionnisme que nos concurrents. Je ne crois pas à l'éventualité d'un nouveau tour de vis ; n'oubliez pas que nous aurons un congrès du PS cet automne[1] ! »

Tout y est : la mythologie (sifflons la croissance, elle rappliquera en courant) ; l'imprévision économique (baisse du dollar et des matières premières, rien moins qu'aléatoire), la politique politicienne (il faut que le Congrès s'amuse). Le piège se referme, la trappe fonctionne, le gouvernement virevolte en tous sens pour trouver des sous, les députés contemplent, médusés, tétanisés, leurs chefs bien-aimés se battre au polochon, les militants n'y comprennent goutte, et la France se demande où est passé le grand projet. Le moyen, avec cela, de mobiliser les populations ? Edmond Maire, le célèbre donneur de leçons sur le perron de l'Elysée, a beau jeu de s'écrier : « La rigueur sans ambition, la rigueur sans projet social, a le goût amer de l'austérité[2]. »

Plaisant avatar de la double contrainte : les socialistes ont réussi à faire comprendre aux Français que la crise n'était pas un mot inventé par les patrons pour planquer encore plus d'ar-

1. Cité par l'*Expansion*.
2. Le 28 mars 1983 sur RTL.

gent dans les coffres suisses, mais ont échoué à faire passer un quelconque message de singularité novatrice. Ruse de la raison : les messagers de la vie en rose obligés de jouer les Cassandres. Il existait pourtant un usage « de gauche » de la situation, qui eût répondu précisément aux possibilités ouvertes par la société d'infoculture ; organiser des Grenelle partout, sur le modèle de ce qui s'était fait en mai-juin 1968. Faire de la France un immense forum de discussions et d'expérimentations. Inviter syndicalistes, usagers, consommateurs, patrons, associations à discuter entre eux ; à mettre, comme on dit, tout sur la table, télévision et radio se chargeant de répercuter l'ensemble des arguments sur la population. Est-ce un hasard si, au colloque sur la Recherche et l'Industrie organisé par Jean-Pierre Chevènement, alors ministre, les ouvriers, comme d'ailleurs les employés du secteur informatique ou les paysans utilisateurs de techniques modernes, brillaient par leur absence ? Seuls quelques permanents syndicaux furent invités lors des travaux préliminaires.

A présent qu'il ne s'agit plus de partager le bénéfice, mais la rigueur, l'information-formation, la clarté didactique ne peuvent plus être un luxe pour cadres supérieurs en recyclage psychothérapeutique. Nous n'échapperons pas, à notre tour, aux dures lois de la société de communication qui exigent un changement complet d'état d'esprit. Méfions-nous : Mitterrand, ce goupil de la politique, a plus d'un tour dans son sac et reste parfaitement capable de se convertir, avec certains de ses proches, aux charmes subtils de la métaphore spectaculaire. Ses récentes visites à La Courneuve et à Venissieux le laissaient présager. A la télévision, désormais, il a pour la France les yeux de braise d'Iglésias.

L'état des choses exige aujourd'hui une politique immédiatement identifiable et décodable par tous, qui témoignerait de valeurs dont l'absence, dans le paysage mental contemporain, se fait cruellement sentir : autonomie, responsabilité, devoirs. Ce vide, il appartenait au parti présidentiel de le remplir. Les quelques clubs qui essaiment en ce moment à gauche témoignent de cette tardive prise de conscience : les socialistes au pouvoir ont abandonné la politique pour la gestion ; mais, comme il ne restait à gérer que la crise, le peuple a préféré bouder.

A leur décharge, force nous est de reconnaître que nos pauvres socialistes reviennent de loin. Ils étaient le peuple dressé contre une poignée de capitalistes affameurs et avides, dans la mythologie du début de siècle. Avec eux, la lutte des classes entrait enfin au Palais-Bourbon et Pierre Joxe pouvait déclarer sans forcer : « Nous, nous représentons le peuple, eux représentent des hommes politiques de la majorité d'autrefois. » Il fallait, en effet, tous les sortilèges de l'ancrage définitif à gauche, comme de l'union socialo-communiste, pour effacer la tache de sang intellectuelle de la SFIO mollettiste, prête à toutes les compromissions. Les sans-culottes prennent le pouvoir, portés par la masse des travailleurs-et-paysans chère à Léon Blum ; ils se préparent à tout lui donner, mais les voici soudain devant les durs pépins de la réalité : le progrès est parti sans laisser d'adresse, les lobbies corporatistes et catégoriels se déchirent à belles dents et ne s'entendent que pour réclamer à l'Etat leurs gages, ces Français peu civiques n'ont pas plus tôt reçu leurs feuilles de paie majorées qu'ils se précipitent sur le premier magnétoscope japonais venu : gouverner dans ces conditions, ce n'est plus choisir, c'est colmater. Méditons la leçon des municipales. Là où les socialistes ont le mieux tenu régnait un consensus local, fruit d'une bonne gestion ; à Angers, le candidat socialiste l'emporta contre la direction de son parti : on ne fera plus l'économie de cette volonté des gens de contrôler leur propre devenir.

Qu'à l'heure de la bourrasque, l'appareil du parti socialiste en soit encore aux luttes intestines des courants A, E, I ou U — le sonnet de Rimbaud revu et corrigé par Pierre Dac — en dit long sur la lourdeur de cette formation et sa lenteur à se mouvoir. Où sont les grands élans d'antan, où est ce PS porteur des espoirs du peuple « de gauche » et de la bourgeoisie moderniste ? Le pouvoir l'a transformé en statue de sel. D'où l'analyse pertinente d'Edgar Morin : « Le PS, qui est le parti hégémonique, est lui-même un tissu de visions contradictoires de la réalité sociale, politique, donc de la crise. On l'a très bien vu au cours de ces derniers mois ; autant de solutions, autant de tendances.

Le PS n'a plus le minimum de rationalité dans sa vision du monde pour proposer même une option à discuter. C'est l'état de contradiction du PS qui fait qu'aucune imagination ne peut en sortir[1]. » D'où la question qui court sur toutes les lèvres : pour vaincre la crise, Mitterrand devra-t-il se débarrasser du Parti socialiste ?

Plaisanterie ? Nous n'avons pas l'humeur à galéger. Après tout, la France est ici en jeu. Les roses penseurs comprendront-ils un jour ce que nous commençons seulement à entrevoir : l'abandon inéluctable d'une conception politique fondée uniquement sur la délégation de pouvoir ; l'inaptitude radicale de toute formation à diriger politiquement et idéologiquement la dynamique sociale de ce temps ? Encore une fois, malgré notre désir combien légitime de tout contrôler, il nous faut tenir compte de cette tendance de tous et de chacun à redéfinir les rapports entre hommes et institutions, à reprendre en main sa portion de destin. Non seulement nous devons en tenir compte, mais nous devons contribuer, autant que faire se peut, à en accélérer le processus. Nous eûmes très longtemps besoin de moutons dont la passivité râleuse, explosant tous les quinze ans en petites révoltes sèches et sans lendemain, nous convenait à merveille. Quelques barricades, trois discours, deux augmentations de salaire, l'affaire était dans le sac. Aujourd'hui, nous avons besoin d'hommes libres, responsables et actifs. Voilà pourquoi la politique ne sera plus jamais

1. *La Quinzaine littéraire*, août 1983.

ce qu'elle était. Voilà pourquoi le PS est condamné à se transformer ou à se survivre tant bien que mal sous la tente à oxygène de l'Elysée.

Allons plus loin : la Ve République est morte en 1976, ce jour de juillet où Chirac a juré la perte de Giscard. La légitimité présidentielle se fissurait, le parti majoritaire ne suivait plus aveuglément le chef de l'Exécutif : les digues s'ouvraient à la gauche dans un crissement de gonds rouillés. Aujourd'hui l'enjeu est plus grave : c'est sur la signification et le rôle du parti politique dans la démocratie française que porte le débat essentiel. De la capacité ou non du parti majoritaire à se transformer en force mobilisatrice dépend évidemment son avenir, et a fortiori celui de l'opposition.

Le plus beau témoignage de ce manque a été souligné, il y a quelques mois, par Jacques Delors. Avec une mélancolie non feinte, le ministre de l'Economie et des Finances se confiait ainsi au micro de RTL : « Ce qui me navre, c'est que si j'arrive à faire comprendre la rigueur aux Français, j'aimerais aussi contribuer à leur mobilisation. J'aimerais mobiliser les Français autour des grandes réformes qui sont en cours : la décentralisation et donc la diffusion des responsabilités, le nouveau dialogue social dans les entreprises, avec les nouveaux droits des travailleurs, l'adaptation de notre appareil de production, la recherche de l'innovation, la bataille sur les terrains extérieurs. Quand je vois la vie politique parisienne, j'ai l'impression d'une vitrine brouillée. Franchement, dans ce domaine, je suis insuffisant[1]... »

Emouvante sincérité. Obéissant à notre sens civique et à nos devoirs de bon citoyen, nous allons essayer modestement, dans ce livre, d'aider le ministre. Car il pose ici, dans sa feinte naïveté, la véritable question politique : celle de la responsabilité de l'information et de l'information de la responsabilité, celle de la stratégie de l'action-participation, celle de la charte des devoirs, toutes actions résumant l'un des rôles essentiels du nouvel homme de gouvernement : animateur, éducateur, thérapeute. Et, par dessus tout, metteur en scène.

1. Grand Jury RTL-*Le Monde*, 26 juin 1983.

CHAPITRE III

La main d'Adam Smith au collet de Jaurès

Pendant que le parti socialiste se débat avec sa double filiation de mouvement « révolutionnaire » quoique « attrape-tout », condamné à une impossible social-démocratie alors qu'il rêvait de changer la société par décrets, que fait l'opposition ? Les municipales ont certes apporté une brise de réconfort à nos physionomies blessées : 53,5 % des voix au premier tour ; 31 villes de plus de 30 000 habitants reconquises. L'espoir change de camp, le combat change d'âme. Giscard réunit à Royaumont son Conseil pour l'Avenir de la France : nous y fûmes. Barre rassemble sa force de frappe intellectuelle au Palais des Congrès de Versailles, où s'agitent les têtes pensantes de son Groupe d'Etudes sociales, économiques et civiques : nous y assistâmes. Jacques Chirac consulte énormément, d'Ambroise Roux (l'ex-président de la CGE) à notre cher Jean Gandois (l'ex-président de Rhône-Poulenc) en passant par son vieil ami Jacques Friedman ; le RPR, excellente machine de guerre bien huilée, a dûment mérité de l'opposition : celle-ci lui doit les deux-tiers de ses gains municipaux. Chirac choisit habilement les meilleurs créneaux, et assène des coups sans ménagement aux talons d'Achille des socialo-humanistes : insécurité, violence, chômage, immigration —, thèmes payants qui ont conduit une fraction de l'électorat communiste à voter RPR, quand les militants purs et durs de la lutte des classes ne donnèrent pas directement leurs voix à Le Pen. Il faut les comprendre. Comme dit l'architecte gauchiste Roland Castro : « Si Montreuil est devenu la deuxième ville malienne du monde, il faut aussi que les Français qui vivent au milieu des Maliens puissent déménager sans qu'on les traite de racistes, et sans qu'ils soient obligés d'intégrer ces Africains. Qu'on ne culpabilise pas le prolo français sympa qui ne supporte pas de trouver des viscères de bête dans sa poubelle et devient raciste... C'est dur de fréquenter des gens de façon captive, non décidée, de supporter l'arrivée d'étrangers étranges, avec des rapports différents à la violence, aux costumes, aux hommes et aux femmes[1]... »

L'arsenal de l'opposition médiatique continue de se développer suivant un schéma que nous avons déjà eu l'occasion de décrire. Proposition nº I : la France glisse inéluctablement vers un régime de démocratie populaire. D'ailleurs, on y est déjà : « Entre le socialisme de fraude et de corrosion des libertés qui caractérise la France d'aujourd'hui et le socialisme totalitaire des Soviétiques, il y a autant de

1. Interview à *Libération*.

ressemblance qu'entre un jeune serpent et un serpent adulte » : cette plaisante comparaison zoologique est extraite de la revue *Contrepoint* que dirige Yvan Blot, président du Club de l'Horloge et chef de cabinet du sénateur RPR Charles Pasqua. François Léotard, secrétaire général du PR, ne veut pas être en reste : « Le régime avance à grands pas vers la logique de la pénurie, de la file d'attente et de la servitude... La majorité a adopté une attitude similaire à celle de Jaruselski. » Question angoissante : quand Léotard arborera-t-il une moustache suffisamment giboyeuse pour devenir notre Lech Walesa ? Il faut vivre au Bechuanaland ou en Moldavie pour affirmer, comme on le fait dans les *Cahiers du Club 89* : « Peut-être est-il prématuré d'évoquer une bolchevisation du PS. Du moins peut-on parler de l'extension de l'esprit de l'appareil : tout pour le parti, et rien sans le parti. L'Elysée bétonne de partout. Le parti commande au gouvernement. Le gouvernement décrète. » Avec une telle finesse d'observation politique, nous sommes sûrs de reprendre le pouvoir dès la semaine prochaine. Et, bien sûr, de le conserver !

Pour mesurer le degré de déchéance dans lequel la France serait tombée depuis plus de deux ans, il suffit de lire *Le Figaro* du 13 juin 1983 : « Une à une, inexorablement, les socialo-marxistes s'en prennent à toutes les libertés : à la liberté d'aller et venir, tous transports nationalisés en douceur ; à la liberté du savoir, de la recherche et de la pensée, toutes franchises universitaires abolies ; à la liberté d'entreprendre, tuée par les contraintes pesant sur les entreprises en attendant que l'Etat récupère toutes celles qu'il aura mises en difficulté ; à la liberté de se faire soigner par le médecin de son choix, et d'obtenir justice avec l'aide de juristes dignes de ce nom ; à la liberté de l'information par médias domestiqués ; etc. » Pourquoi donc croyez-vous que j'écrive à l'abri d'un pseudonyme, si ce n'est pour éviter de me faire arrêter à l'heure du laitier par la Guépéou de Gaston Defferre ?

J'hésitais, tout de même. Nombre de mes amis me répétaient que nous étions dans l'antichambre du Goulag, mais je n'arrivais pas à en être tout à fait convaincu. Ayant effectué quelques séjours — diplomatie et affaires obligent — en URSS, en Pologne et en Roumanie, je ne me sentais pas, à Paris, baignant dans la même atmosphère qu'à Moscou, Varsovie ou Bucarest. Mitterrand, à Bonn puis à Williamsburg, n'avait-il point fait le ferme et bon choix, face à l'Union soviétique et à ses missiles tactiques ? N'avait-il pas ensuite, en conseil des ministres, longuement regardé Charles Fiterman en expliquant la similitude de ses deux discours, et Georges Marchais n'avait-il point repris l'argumentation deux semaines plus tard ? En somme, le Président de la République semblait, à l'extérieur comme à l'intérieur, tenir le cap face à la tentation totalitaire. Eh bien, je fais ici mon mea-culpa : je me trompais. Mme Suzanne Labin m'a montré, ainsi qu'aux lecteurs de la revue *Contrepoint,* à quel point Mitterrand cachait son jeu. Voici, selon cette dame, ce qui s'est exactement passé : « Autre fait révélateur que les commentateurs oublient : juste avant de démarrer sa campagne présidentielle, Mitterrand s'en est allé dans un petit pays de l'autre bout de la terre avec lequel la France n'a pratiquement aucun rapport, la Corée du Nord communiste, et il a fait ami-ami avec le dictateur le plus stalinien du monde, qui exerce la tyrannie la plus cruelle et se fait élever le culte le plus dément : Kim Il Sung. Cette bizarrerie ne peut s'expliquer que par l'hypothèse que Mitterrand allait y rencontrer des émissaires soviétiques de haut niveau pour des négociations secrètes. D'où est peut-être sorti ce troisième fait lourd de sens, qu'on oublie trop, à savoir que Mitterrand est l'élu des communistes. Le PC avait, en effet, mené une forte campagne contre lui jusqu'au soir du premier tour, et il lui suffisait de la continuer, en invitant par exemple ses électeurs à s'abstenir au second tour, pour que Mitterrand fût battu. Au lieu de cela, survint le revirement spectaculaire par lequel le Parti Communiste français s'attacha volontairement au char de Mitterrand. Or le Parti Communiste français obéit inconditionnellement à Moscou. » Giscard rencontre Brejnev à Varsovie : c'est une conversation. Mitterrand prend langue avec Kim Il Sung à Pyong-Yang : c'est un agent du KGB.

Que l'on me comprenne bien. Si une remontée progressive et organisée du taux d'hystérie ne me paraît pas le meilleur instrument de la reconquête, ce n'est pas par moralisme naïf (après tout, les socialistes n'assimilaient-ils pas le libéralisme avancé à un « vichysme mou » et l'action gouvernementale de Raymond Barre à un « fascisme rampant » ?), mais par pur souci d'efficacité. Le scrutin majoritaire à deux tours, l'élection du Président de la République au suffrage universel, l'occultation du débat parlementaire où les règles du jeu ne peuvent changer durant une même législature, ne favorisent point le consensus, nous le savons. Ce qui est nouveau, c'est que nous ne pouvons plus nous permettre de laisser aux oubliettes 45 % des Français. L'avenir vient toujours assez tôt : sauf à inoculer à nos concitoyens du sérum tranquillisant à doses massives, nous serons obligés de surmonter nos répugnances et de travailler avec une bonne partie de la gauche. De même que certains, au sein du pouvoir actuel, luttent contre les vieux réflexes bureaucratiques et nationaux-protectionnistes, de même devons-nous maîtriser nos velléités revanchardes et nous interdire de penser bassement. Nous savons certes, avec René Girard, que les peuples sont animistes et ont besoin de boucs émissaires : mais, de ce point de vue, nous avons mieux à faire qu'à dénoncer en Badinter l'assassin des clients du Sofitel d'Avignon, qu'à faire des immigrés les principaux fauteurs de chômage, qu'à célébrer les fusils à pompe et les 22 long rifle qui tirent sur tout ce qui bouge passé 20 heures. Faisons de la crise notre bouc émissaire principal : c'est à elle qu'il faut s'attaquer aujourd'hui, à elle et à son cortège de travailleurs déclassés, de cadres déboussolés, de jeunes en état d'apesanteur et de populations passives et résignées, puisqu'on ne cesse de leur répéter que leur sort se joue à Washington, à Moscou, dans le Golfe persique, à l'Elysée, à l'Hôtel de Ville, à la Préfecture, au Conseil général, mais jamais chez eux, jamais *en eux*.

Puisqu'on ne peut plus gouverner impunément, dessaisissons-nous d'une partie de nos prérogatives : la gauche centralisatrice et jacobine va être obligée d'en passer par là, la droite libérale et gestionnaire ne peut plus faire l'économie d'une complète réévaluation de ses méthodes de gouvernement. Il y va, encore une fois, de notre survie. Il est permis de s'amuser avec les gadgets sémantiques du Club de l'Horloge, de hurler qu'on nous écorche et qu'on nous pille, mais, comme l'écrit Lionel Stoleru, « on ne reprend pas le pouvoir avec les bêtises des autres, mais avec un modèle nouveau à proposer ». Les plus intelligents d'entre nous l'ont compris : « L'opposition a besoin d'une morale, avant un programme » (Alain Juppé). Encore faut-il que celle-ci ne revête pas les oripeaux éculés d'une soi-disant révolution conservatrice qui n'est autre que le retour à une jungle où les baobabs seraient remplacés par les ordinateurs, d'un ultra-libéralisme qui, comme le totalitarisme d'en face, a finalement toujours besoin de milices, de barbelés ou de ghettos pour subsister. Le très catholique Lamennais nous avait déjà prévenu : « Entre le faible et le fort, c'est la liberté qui opprime et la loi qui protège. »

Quel est, en effet, le « plat du jour » idéologique de l'opposition ? Celle-ci a désormais, pour les nouveaux économistes et les parangons du libéralisme à la Thatcher et à la Reagan, les yeux de Chimène. L'éloignement du pouvoir semble avoir agi sur nous comme le chemin de Damas sur saint Paul. Nous étions étatistes, centralisateurs, nous tenions en mains les rênes du royaume, persuadés de notre éternelle légitimité. Sous le septennat de Giscard, le budget social de la nation a crû, en pourcentage, plus que sur toute la durée de la IVe République. Les prélèvements obligatoires y ont pour la première fois dépassé les 40 %. Que disait Jacques Chirac à Valence, le 9 septembre 1978 ? « Ce n'est pas je ne sais quel libéralisme, je ne sais quel laisser-aller, au nom de je ne sais quel principe qui avait cours au XIXe siècle, qui nous permettront de surmonter nos difficultés. Il faut une politique beaucoup plus volontariste que cela » ; et il ajoutait, au Forum de Radio Monte-Carlo, le 8 avril 1981 : « Notre attachement au Plan n'est pas une tactique pour séduire la gauche ; cela a toujours été l'un des principes en matière économique du gaullisme. Ce que je souhaite, c'est le retour à l'esprit de la planification à la française, c'est-à-dire le grand choix de politique économique, les moyens de parvenir à ce choix, et à une politique d'incitation pour y parvenir. » Aujourd'hui, le RPR a découvert le monétarisme pur et dur et la parade à tous les maux dont nous souffrons : la société ultra-libérale.

Mais enfin, nous y avons tous participé, à cette démarche de rupture avec la société de liberté chère au cœur de la dame de fer et du

Zorro de la côte Ouest ! Nous avons établi et même renforcé le monopole d'Etat sur la radio et la télévision ; avec la loi d'orientation universitaire et sa prétendue gestion démocratique, nous avons truffé le corps enseignant de gauchistes post-soixante-huitards. Nous avons gardé le monopole du transport aérien, de la distribution du crédit, nous avons entravé la libre circulation de l'argent ; nous avons pénalisé les cliniques privées, nous n'avons pas assez garanti l'école libre contre les présents assauts de la laïcité socialo-communiste ; bref, tant que l'Etat, c'était nous, nous criâmes : « Vive l'Etat ! »

Aujourd'hui, éblouis, nous découvrons l'internationale libérale de l'humanisme marchand qui tient en ce seul credo : laissez faire le marché, il n'y en a jamais trop. L'impôt est immoral, les monnaies doivent être dénationalisées, tout protectionnisme banni, vivent les spéculateurs qui sauvent les gouvernements, la délégation majoritaire est une mystification, haro sur l'Etat détenteur de l'énergie, dispensateur du crédit, distributeur des revenus, maître des destins particuliers. A Royaumont, lors de la réunion du Conseil pour l'Avenir de la France, les participants écoutaient, ravis, Jean-François Prévot, professeur de droit à Paris-XII, appeler à une « révolution libérale française », au coup d'Etat de « l'individu » et au régime « dont les citoyens sont tous des princes ». Pour un peu, on se serait cru au Serment du Jeu de Paume. Vive moi ! Sus à la tyrannie étatiste et hégémonique ! Nous apprîmes ainsi qu'il existait un « droit populaire de dissolution » (je puis donc, dès demain, me substituer à Mitterrand et dissoudre cette Assemblée illégitime). Plus besoin de gouverner : le marché gouvernera pour nous. Si je puis me permettre l'image : la main invisible d'Adam Smith serrant le cou de Jaurès, et la face de la France en sera changée. Alleluia[1] !

Comme d'habitude, nos fringants généraux sont en retard d'une guerre. Leur virage à 180° n'a plus aucun sens, en ces temps de récession et de déséquilibre mondial. Comme l'écrit le sociologue Jean-William Lapierre : « Le libéralisme bourgeois et le socialisme marxiste partagent la foi productiviste selon laquelle le développement indéfini des forces productives mène nécessairement l'histoire d'une humanité proliférante vers un état final de surabondance et de parfait bien-être. Cette confiance en la croissance économique par l'accumulation de moyens de production de plus en plus efficaces, constitue le fonds commun des deux idéologies antagonistes[2]. » Que fait en ce moment, à l'approche des élections de 1984, notre héros incontesté, Ronald Reagan ? Il adopte des politiques commerciales restrictives : quotas d'importation sur certaines familles d'aciers spéciaux, qui ont provoqué de sérieux dommages à l'industrie sidérurgique américaine ; financement de la vente de farine, de beurre et de fromage à l'Egypte, afin de concurrencer directement la

1. Lire, en annexe, l'ode de Pascal Salin aux « évadeurs » de capitaux.
2. *Vivre sans Etat,* Le Seuil, cité par *Eléments.*

Communauté Economique Européenne dont c'était l'un des marchés traditionnels ; droits de douanes supplémentaires de 49 % sur les importations de motos ; plafonnement prolongé des importations nippones d'automobiles ; licences de plus en plus chichement concédées ; laboratoires universitaires de plus en plus fermés aux étudiants et chercheurs étrangers. En fait, comme l'écrit *Le Monde :* « Chaque secteur économique en difficulté (agriculture, sidérurgie, automobile, textile) devient protégé. » Nouvelle définition du libéralisme made in USA : faites ce que je dis, mais surtout pas ce que je fais.

Par ailleurs, ceux qui tonnent contre l'impôt sur le revenu devraient tout de même se rappeler que la France est l'un des pays où les recettes provenant des impôts sur les revenus et les bénéfices sont les plus raisonnables par rapport au PIB (moins de 10 %, contre 20 % en Suède et au Danemark). C'est la part des cotisations sociales qui reste la plus élevée. Hors celle-ci, la pression fiscale française (24 % du PIB) est comparable à celle des Etats-Unis (23 %), et... inférieure à celle de l'ultra-libérale Grande-Bretagne (31,3 %). Evoquerons-nous le déficit budgétaire américain qui atteint deux cent milliards de dollars, déficit financé par les avoirs du monde entier ? Evoquerons-nous son taux de chômage, qui a dépassé les 10 % de la population active ? Nous appesantirons-nous sur les trois millions trois cent mille « sans travail » anglais, et le taux de croissance nul obtenu chez nos voisins par le libéralisme triomphant ? En réalité, la crise mondiale met en déshérence toutes les règles et tous les principes, en dévoilant in-vivo l'absurdité de toute théorie poussée à l'extrême. De même qu'il était impossible de mener, en France, une politique de relance de la consommation alors que le reste de l'Europe était en récession, de même est-il ridicule d'espérer en un ordre magique sécrété par le jeu de l'offre et de la demande. Quand le général Pinochet a pris le pouvoir au Chili, il a invité un commando des Chicago boys, les samouraïs libéraux de Milton Friedmann, à venir remettre de l'ordre dans l'économie de son pays. Milton Friedmann, qui écrit dans *Free to choose* (« Libre de choisir »), paru aux Etats-Unis en 1981 : « Les prix qui émergent des transactions volontaires entre acheteurs et vendeurs — en bref, sur le marché libre — sont capables de coordonner l'activité de millions de personnes, dont chacune ne connaît que son propre intérêt, de telle sorte que la situation de tous s'en trouve améliorée (...). Le système des prix remplit cette tâche en l'absence de toute direction centrale, et sans qu'il soit nécessaire que les gens se parlent ni qu'ils s'aiment (...). L'ordre économique est une émergence, c'est la conséquence non intentionnelle et non voulue des actions d'un grand nombre de personnes mues par leurs seuls intérêts (...). Le système des prix fonctionne si bien et avec tant d'efficacité que la plupart du temps, nous ne sommes même pas conscients qu'il fonctionne. » Les conditions chiliennes étaient chimiquement pures pour l'expérience de laboratoire : une dictature parfaite, des syndicats muselés, des contestataires embastillés, une classe moyenne passive et docile : dix ans plus tard, les casseroles de Santiago sonnent le glas de la théorie.

A ce propos, nos adeptes du monde-considéré-comme-un-supermarché évoquent, avec des accents de triomphe, la reprise qui s'amorce aux Etats-Unis et qui va très vraisemblablement se caractériser pour une croissance supplémentaire de 4 ou 5 points du Produit Intérieur Brut. Mais cette reprise s'explique surtout par rapport à l'extraordinaire récession qui l'avait précédée : le recul de la production industrielle avait atteint, de juillet 1981 à novembre 1982, le taux record de 12 %. La dette publique aux Etats-Unis atteint 43 % du PIB (1 300 milliards de dollars). Les déficits prévisibles du budget fédéral représentent pratiquement toute l'épargne disponible des ménages américains. Au-delà de ces chiffres, il importe tout de même de rappeler que sur une population de 220 millions d'habitants, trente millions d'entre eux vivent en dessous du seuil de pauvreté ; il y a 23 millions d'analphabètes ; deux millions de personnes n'ont ni maison ni appartement ; le magazine *US News*, évoquant il y a quelques mois la dégradation accélérée des ponts, des routes, des hôpitaux, ou de la distribution d'eau, a calculé que, pour remettre en état l'infrastructure technique américaine, il faudrait compter sur un montant peu négligeable de 2 500 milliards de dollars. Le laisser-faire, laisser-aller, trouve ici certaines limites.

Mais le fait le plus grave est l'endettement du Tiers-monde qui s'élève aujourd'hui à plus de six cents milliards de dollars : c'est un secret de Polichinelle que la plupart des pays en voie de développement (plaisant et tragique euphémisme) sont en état de cessation de paiement. Les banques américaines qui leur ont fait crédit et qui, si la faillite de ces pays était proclamée, sauteraient toutes comme des bouchons de champagne, provoquant un krach financier mondial auprès duquel 1929 serait une aimable partie de campagne, ces banques se retournent toutes vers l'administration centrale, la Banque mondiale et le Fonds Monétaire International : SOS, Etat, aidez-nous ! Comme l'écrivent assez justement Alain de Benoist et Guillaume Faye dans la revue *Eléments :* « Ceux qui, aujourd'hui, critiquent avec le plus de virulence les interventions de l'Etat, sont aussi ceux qui ont, les premiers, créé les conditions dans lesquelles ces interventions sont devenues inéluctables. » L'opposition, aujourd'hui, a vraiment autre chose à faire que de se protéger de l'averse étatique en plongeant dans le marigot libéral. Gribouille n'a jamais été un symbole éloquent de reconquête.

En réalité, mes chers compagnons, il serait temps de se faire une raison : il n'y aura plus jamais de théorie entièrement applicable. Ne nous en plaignons pas trop. Le réveil de l'idéologie abstraite engendre souvent des monstres. Dans la société informationnelle et participative qui désormais sera la nôtre, ce n'est pas de théorie que nous avons besoin, mais de vision systémique ; pas de dogme, mais de métaphores ; pas de doctrine, mais d'émergences ; pas de parole décrétée, mais de complémentarités à découvrir. Que nous le voulions ou pas, la plus importante révolution politique des temps modernes réside dans la redécouverte, par les citoyens, de leur pouvoir et de leur sens des responsabilités Chacun d'entre nous, en Occident, a la possibilité de choisir la manière dont il voudrait vivre sa vie. Nul homme politique ne sera désormais écouté si sa vie quotidienne n'illustre exemplairement son discours. Accrochons-nous : cela va bouger très vite, et cela peut prendre les chemins de la plus grande liberté, comme ceux de la plus mortifère des servitudes. Comme dit Prévert, il ne faut plus laisser les intellectuels jouer avec les allumettes, ni les politiciens avec les mots. La vie est une chose trop importante pour la déléguer à ceux qui parlent au nom des autres. En un mot : nous, hommes de pouvoir et de décision, sommes désormais des maîtres d'œuvre en péril. Prenons garde que les Français, un beau jour, cessent totalement de nous écouter. C'est pourquoi je ne répéterai jamais assez que les querelles de boutique doivent s'effacer devant le très réel danger qui nous menace : celui de l'extinction de l'espèce. Politiques de tous bords, serrez les coudes ! Il serait tout de même navrant que l'on en arrive à la situation décrite par Jorge Luis Borges dans *le Livre de sable* et que cite la revue *Intervention :*

« — Que sont devenus les gouvernements ? demandai-je.
— La tradition veut qu'ils soient tombés petit à petit en désuétude.
Ils procédaient à des élections,
ils déclaraient des guerres,
ils établissaient des impôts,
ils confisquaient des fortunes,
ils ordonnaient des arrestations et prétendaient imposer la censure, mais personne ne s'en souciait.
La presse cessa de publier leurs discours et leurs photographies.
Les hommes politiques durent se mettre à exercer des métiers honnêtes ;
certains devinrent de bons comédiens
ou de bons guérisseurs.
La réalité aura été sans doute plus complexe que le résumé que j'en donne. »

CHAPITRE IV

Souvenirs d'en France

Quelle France allons-nous retrouver au moment de notre retour aux affaires ? En dépit des cris d'alarme de nos compagnons d'infortune, le pays ne se sera pas encore transformé en démocratie populaire. Les socialistes ont endossé avec ravissement l'uniforme constitutionnel qui leur garantissait, pour la première fois dans leur histoire, la durée ; la politique étrangère est restée peu ou prou semblable, en dépit de quelques discours sur les Droits de l'Homme (paroles verbales qui n'engagent à rien) et de quelques homélies contre l'impérialisme américain (paroles culturelles toujours bonnes à prendre et à laisser dans les colloques). Qu'importe le discours, pourvu qu'on garde les ventes : de ce point de vue, rien de changé, nous restons le troisième exportateur d'armes de la planète[1]. Le tout-nucléaire se porte bien, merci. Nous sautons sur N'Djamena comme hier sur Kolwesi. Nous n'allons pas, contrairement à nos

1. Le matériel militaire représentait 70 % de l'excédent industriel en 1982.

prédécesseurs, rendre visite à Andropov, et tenons à peu près notre rang dans les rencontres internationales où nous essayons toujours de faire comme si nous n'étions pas devenus une puissance secondaire, représentant 1 % de l'humanité souffrante. Les sommets restent la preuve la moins onéreuse de l'existence internationale d'un chef d'Etat.

A l'intérieur, les changements ont crépité : remboursement de l'IVG, abolition de la peine de mort, retraite à 60 ans, 39 heures, cinquième semaine de congés payés, fiscalité du patrimoine et des hauts revenus, réduction des inégalités, et les deux textes les plus intéressants, jusqu'ici, du nouveau septennat : lois Auroux sur l'expression des travailleurs dans l'entreprise (au lieu de pousser des cris d'orfraie, nos amis du patronat devraient méditer un peu plus sur la cogestion à l'allemande, et sur l'angoisse des gardiens de buts syndicaux au moment du pénalty de la récession) ; et la loi sur la décentralisation qui transfère les compétences économiques aux élus de la commune, du département et de la région : nous aurons beau dire, nous aurons beau faire, notre honte restera d'avoir laissé aux « collectivistes » qui présentement nous gouvernent le privilège d'avoir enfoncé le premier coin sérieux de séparation entre la société civile et l'Etat. Ce processus de responsabilisation, d'information, de participation, cette assemblée régionale élue au suffrage universel, ces nouveaux pouvoirs locaux, nous aurions dû en permettre l'éclosion depuis des années[1]. Heureusement, sur la décentralisation comme sur les nationalisations (à 100 % : liturgie oblige), la nullité médiatique du pouvoir apparut dans sa splendide évidence. Peu ou pas de débats publics, télévision absente, reportages étiques, alors que ces mesures auraient pu constituer un formidable prolongement publicitaire de l'état de grâce. Si la télévision est aussi médiocre qu'auparavant, ce n'est pas, comme le clame le pauvre Michel d'Ornano, parce que les médias audiovisuels sont sous haute surveillance ; c'est qu'au contraire, les élus socialistes sont devant l'image comme un cachalot devant le retable d'Issenheim : littéralement médusés... Pour eux, hommes du Verbe, l'image et le son doivent demeurer des inventions malfaisantes du diable capitaliste, qu'il importe de contrôler de loin, de n'approcher qu'avec précaution, en ayant pris soin de répandre des poignées de sel afin de conjurer le mauvais sort. De ce point de vue, la Ve République, droite et gauche mêlées, entrera dans l'Histoire pour sa remarquable cécité audio-visuelle. Le monopole, le service public, la voix de la France : autant de synonymes d'un gigantesque malentendu, d'une abyssale incompréhension du fonctionnement et des pouvoirs du médium et de ses messages. Nous avions, quant à nous, des circonstances atténuantes : tenant les rênes du pays depuis si longtemps, il nous fallait naturellement vassaliser toute innovation, au nom de

1. Un certain Charles de Gaulle, en 1969... et un certain V.G.E. s'y opposant déjà...

la sacro-sainte raison d'Etat dont nous usâmes si bien et si mal. Les socialistes ne pouvaient se payer le luxe d'une pareille méconnaissance : ils auraient eu besoin de médias libres, pluriels, multipliés et polymorphes pour perdurer. La société informationnelle et participative, la démocratie polycentrique et pédagogique étaient leurs seules chances. Est-il encore temps pour eux de s'en apercevoir ? Heureusement pour nous, la plupart prennent encore MacLuhan pour une marque de whisky.

Où l'action des socialistes se révèle la plus intéressante, c'est — comme nous l'avions souligné dans *De la reconquête* — dans l'action pédagogique exercée envers les masses laborieuses et concernées. Le fameux « peuple de gauche » sait désormais que la hausse des salaires contribue à celle des prix ; le cégétiste de base admet en maugréant que les freins apportés à la consommation et le ralentissement de la demande intérieure sont essentielles au rééquilibrage de notre balance commerciale. L'instituteur barbu se résigne désormais à ce que l'accroissement des charges des entreprises nuise à la compétitivité de celles-ci ; saluons, dans ce domaine, la levée d'un verrou : ceux qui croyaient — et nous en étions — que la nationalisation des grosses entreprises industrielles allait définitivement « fonctionnariser » leur personnel en sont pour leur pronostic. Oui, on licencie dans les « nationalisées ». Des exemples ? Un rapport de la CGT de juin 1983 nous en fournit quelques-uns :

Sur les 76 610 suppressions d'emplois annoncées ou partiellement réalisées depuis la mi-mars 1983 et recensées par la CGT, 30 149 seraient le fait de sociétés dans lesquelles l'Etat est ainsi présent, soit près de 40 %.

Dans la métallurgie, le nombre des suppressions d'emplois serait globalement de 38 163. Les suppressions provenant des sociétés publiques ou para-publiques seraient au nombre de 13 839, soit environ 36 %. Parmi ces firmes figurent Sacilor, Usinor, la CGE, Pont-à-Mousson, Tréfimétaux (PUK) et RVI.

Dans la chimie, sur 10 242 suppressions d'emplois, la part « publique » atteindrait 7 804, soit près de 76 %. Les principales sociétés concernées sont PCUK, Elf, CFP, APC-Gesa, Cofaz-Sodag et Rhône-Poulenc.

Dans la construction, sur 4 881 suppressions prévues, le montant d'origine « publique » s'élève, selon la CGT, à 600, soit 12 % (il s'agit de la CGE).

Dans le textile, le rapport serait de presque 70 %, la CGT ayant recensé 4 143 suppressions et 2 816 étant le fait d'une entreprise dont l'Etat contrôle indirectement la majorité du capital (Boussac).

Le secteur du papier-carton connaît un pourcentage proche de 5,5 % (cellulose du Pin Aubry, filiale de Saint-Gobain). Il se monte à 58 % dans l'industrie du verre où, sur un total de 7 358, 4 300 suppressions proviendraient de sociétés nationales, notamment Saint-Gobain. Enfin, pour l'industrie du bois, on obtient un pourcentage « public » de 20,8 % environ, la firme concernée étant Rol, filiale de Saint-Gobain.

Ainsi, dans trois secteurs de base — la métallurgie, la chimie et le verre — comme dans le textile, le pourcentage des suppressions d'emplois par des entreprises contrôlées par l'Etat ne serait pas inférieur à 35 %. Décidément, si les socialistes eux-mêmes ne croient plus à l'Etat-Providence, où allons-nous ?

Autres tabous qui sautent, emportés par les tristes nécessités de la crise : le travail à temps partiel considéré comme une malédiction, un travail au rabais qui empêchait (*sic*) l'âge d'or du plein emploi. Aujourd'hui, l'on ne parle plus que de partage du travail, d'horaires à la carte, de temps choisi. Aux brasseries Kronenbourg, les contrats de solidarité ont été signés sur les bases suivantes : la durée du travail du personnel en équipe est passée de 39 heures à 35 heures par semaine ; cette réduction se traduira, au minimum, par 127 embauches nettes dès 1983 et bien plus en 1984 ; sur le plan des salaires, la compensation est partielle : les ouvriers perdent la rémunération correspondant à une heure supplémentaire, et renoncent à l'augmentation du pouvoir d'achat. Ils sont de plus en plus à accepter de travailler moins pour un salaire légèrement inférieur : ce qui n'empêche pas la CGT de refuser un contrat de solidarité chez Dassault, qui prévoyait pourtant la création de 435 emplois. Raison : celle-ci coûterait 100 francs de pouvoir d'achat à des salariés qui, en moyenne, gagnent 11 000 francs par mois... Le corporatisme a encore de beaux jours devant lui !

Il n'empêche : nos socialo-communistes ont plaisamment travaillé. Indemnités de chômage amputées ; paiement du « forfait hôtelier » par le malade hospitalisé ; taxes sur l'alcool et le tabac ; taux de remboursement diminué sur plus d'un millier de médicaments ; baisse de 1 % du taux d'intérêt du livret A de Caisse d'épargne : tout cela n'est pas rien. Je me rappelle certaines discussions dans l'entourage de Simone Veil, du temps qu'elle était ministre de la Santé : quelques velléités avaient été esquissées concernant le forfait, la taxe et le remboursement, mais on en était resté aux vœux pieux.

Autres mesures intéressantes : la contribution des fonctionnaires à l'indemnité-chômage, la remise en cause de la durée et des taux de certaines indemnisations, la baisse des avantages pour les pré-retraités... Last but not least, la volonté de ne pas dépasser, dans l'augmentation des salaires de la fonction publique, le taux de l'inflation, autrement dit l'abandon de la sacro-sainte clause de réajustement, représente véritablement une épreuve à suivre... La gauche avait commencé à sacrifier à son credo étatiste en embauchant 200 000 fonctionnaires, accroissant ainsi un secteur « protégé » déjà suffisamment gonflé par nous ; arrivera-t-elle à faire accepter à son électorat de base l'amère potion de la pénurie, sans se faire violemment désavouer à la prochaine consultation ? Les paris sont ouverts. De toute façon, comme l'écrit l'Observatoire de la Cofremca[1] : « Le gouvernement socialiste apprend aux Français que la crise n'est pas d'abord la faute des gouvernants, qu'elle est profonde et structurelle, qu'il faudra de grands efforts d'ajustement et d'innovation pour s'en sortir. Les effets pervers des mesures volontaristes qu'il a prises à son arrivée au pouvoir sapent la croyance populaire dans l'efficacité du volontarisme. L'impossibilité dans laquelle on se trouve, puisque la gauche est au pouvoir, de continuer à chanter la grand-messe des revendications populaires unanimistes, laisse apparaître au grand jour les corporatismes, ce qui constitue sans doute un premier pas vers la découverte de nouveaux équilibres. »

Quelle France, donc ? Un pays riche qui rechigne à payer, par des impôts en cascade, la médiocrité gestionnaire des fonctionnaires socialistes ; un pays où la moitié des habitants sont propriétaires de leur résidence principale, où 60 % d'entre eux épargnent, où les 10 % les plus fortunés détiennent la moitié du patrimoine, une France à trois vitesses : archaïque et précapitaliste, social-corporatiste et privilégiée, informelle et « souterraine ». Une France où dominent le désenchantement, l'inquiétude et

1. N° 10, juin 1983.

le scepticisme. Les cadres d'une nationalisée savent très bien que sans l'aide de l'Etat, leur entreprise aurait depuis longtemps fait faillite, mais ils voudraient être mieux informés quant aux buts et aux objectifs. Ils veulent bien payer des impôts, mais souhaiteraient tout de même savoir où va leur argent. « Pourquoi se donner du mal face au fisc qui prend tout, et aux syndicats ouvriers qui veulent prendre notre place ? » grognent les adhérents de la Confédération générale des Cadres.

Tous les analystes se retrouvent sur quelques constats : montée des corporatismes et des revendications catégorielles, effritement des grands systèmes d'identification, absence de représentation collective de l'avenir, paramètre d'incertitude que ne rassure point l'apprentissage collectif de la rigueur et de l'efficacité économique. Les séquelles de l'effet Valium devraient pourtant être connus et répertoriés par tous les hommes politiques. Quand Giscard clamait, en 1977, que la fin de la crise était proche, quand Mauroy susurrait, début 1983, que les clignotants étaient au vert et les problèmes économiques « derrière nous », ils ne contribuèrent pas peu à la démobilisation de citoyens qui se rendaient pertinemment compte, dans leur vie quotidienne, de la fallacieuse incongruité de pareilles assertions. Une fois de plus, tout commence par l'information et la formation. Est-ce vraiment un hasard si, selon un sondage Sofres publié par *l'Expansion* en mars 1983, 78 % des jeunes ne veulent plus entendre parler de politique ? Ici encore,

Edmond Maire : « Une des principales fautes du pouvoir est de n'avoir pas su associer les citoyens à son action. » Ce que ce brave syndicaliste ignore, c'est que, jusqu'ici, le secret était préférable au meeting. Tant que lesdits citoyens, recroquevillés sur leurs privilèges, bénéficièrent d'avantages en nature, couverts par l'épargne, la retraite, les remboursements, les indemnités ; tant que les cadres de la Fonction publique logés par leur employeur, tous ces agents de l'EDF ne payant que 10 % de leur consommation électrique, ces fonctionnaires de la SNCF avec 90 % de rabais dans les trains, ces salariés de la banque qui obtiennent des prêts à 3 ou 4 %, ces cadres supérieurs voyageant, dînant, aimant aux frais de leur société, ces enseignants aux 77 jours de grandes vacances annuelles, ces profs aux vingt-sept semaines de congés payés, les fabuleuses primes de certains privilégiés de l'administration, tous les chômeurs de luxe indemnisés à 90 % et recyclés ensuite en formation à 100 %, et jusqu'à ces agonisants sur lesquels on pratique l'acharnement thérapeutique, ces 4 % de malades qui absorbent à eux seuls 50 % des dépenses de la Sécurité sociale... tant qu'à tous nous pouvions assurer jusqu'au bout une pension complète, service compris, nos chers administrés ne voulaient rien savoir, ne nous demandaient pas à quelle sauce ils allaient être mangés : ils dormaient, d'un sommeil plus ou moins repu. Seuls les jeunes, de temps à autre, manifestaient, mais nous aimons Barrès et ceux qui entrent dans la vie l'injure à la bouche. Nous ne comprimes pas qu'ils annonçaient, dans leur inconscience vociférante, la fin d'un monde.

Aujourd'hui, il importe d'ouvrir les tiroirs, de déverrouiller les coffres, de faire que la parole soit prise et que les images circulent : il nous faut dire, à notre tour, que les privilèges professionnels dont nous avons joui pendant les années glorieuses devront disparaître. Tous. Que si nos chers concitoyens ne veulent pas de l'inéluctable bâton, ils devront économiser sur la carotte. De sympathiques polygraphes, dûment renseignés par nos soins, ont essayé de faire croire que les disparités de salaires avaient pratiquement disparu en France, que la frénésie égalitaire masquait de très réelles augmentations du pouvoir d'achat, que si l'écart réel entre les émoluments d'un conseiller d'Etat et d'un manœuvre était de 82 à 1 en 1800, ce rapport n'était plus que de 7 à 1 en 1980. Balivernes. Nous savons fort bien que le salaire déclaré n'est que la partie émergée de l'iceberg, et que les avantages en nature de toutes sortes doublent et souvent triplent les montants que guette en vain le fisc. En France, de haut en bas de l'échelle, chacun se débrouille : en haut, les frais de représentation, les primes, les mutuelles, les assurances ; en bas, le travail au noir, le troc et le système D. Pour tous, ce temps s'achève : il faudra échanger la garantie de l'emploi contre quelques sacrifices sur les avantages, et ne plus considérer, si l'on est chef d'entreprise, l'Etat comme une vache à lait aux subventions en tous genres, et les bénéfices comme moyen d'investir dans l'avenir familial.

Ceux qui craignent l'économie duale nous amusent. La France est duale depuis fort longtemps : on y est protégé ou exposé, précaire ou assisté, informé ou désinformé, décideur ou subjugué. Aujourd'hui, il importe que ces dualités se transforment, que les cloisons volent en éclats, que les rôles se redistribuent. Bienvenue, Madame la Crise.

CHAPITRE V

Mi-bourreaux, mi-victimes

> « *Aussi longtemps que nous assimilerons l'évolution de notre société à celle de l'humanité avançant vers un terme à la fois idéal et indéfiniment futur, aussi longtemps que nous verrons dans nos progrès scientifiques et techniques la preuve de cette évolution d'ensemble, nous ne parviendrons même pas à imaginer un projet politique nouveau.* »
>
> François PARTANT
> in *La fin du développement*.

Sur ces notions d'information, de risques, de responsabilités, de droits et de devoirs, nous sommes contraints d'entrer quelque peu dans le labyrinthe de la théorie. Que le lecteur ne s'effraie pas : nous tâcherons d'être aussi concret que possible, en fournissant, à chaque fois que faire se peut, les illustrations vécues de ce gigantesque déplacement de signes dans lequel, que nous le voulions ou non, nous sommes embarqués. Si le discours politique sonne aujourd'hui aussi creux, si les joutes entre majorité et opposition volent encore trop souvent au ras des pâquerettes fanées de la démagogie la plus immédiate, c'est qu'il n'est plus possible d'aborder l'esquisse même d'un projet sans parler d'éthique, de morale, de valeurs ; de même, aucune stratégie de reconquête ou de préservation du pouvoir n'est envisageable sans une réflexion approfondie sur la société informationnelle et l'extraordinaire bouleversement qu'elle implique. Machiavel, aujourd'hui, a lu MacLuhan et connaît les effets pervers de la transparence.

Ce qui restera de la dernière décennie, c'est le passage d'une morale de culpabilité à une morale de responsabilité. Nous vivons une ère de paradoxes, et celle du retour des valeurs morales n'est pas le moindre.

Nietzsche, l'un des premiers, a montré comment la morale chrétienne développait un sentiment de culpabilité. La crainte du péché associée à l'appétit de justice a engendré le ressentiment du faible à l'égard du fort, du citoyen à l'égard de son administration : n'oublions pas que la théorie du bouc émissaire surgit en droite ligne du manichéisme Bien-Mal. Les églises marxistes et freudiennes ont largement puisé à cet héritage : la première, par une légitimation historique de la justice, l'autre en aménageant un confortable espace entre le moi idéal et l'inconscient coupable.

Le désir de justice a abouti à l'Etat-Providence, où le citoyen délègue des représentants dont la tâche principale sera de le prendre en charge. Au niveau de son épanouissement personnel (Freud d'abord, le culte du « moi » ensuite), on fut convaincu des saines vertus du développement de son propre potentiel. L'Occident était seul sur terre : quelques centaines de millions de vivants, trois milliards de reflets. Développement à l'infini, richesses inépuisables, fuel domestiqué et autoroutes jusqu'à l'océan.

Premier retournement : l'éthique de justice consistait à accorder au pauvre l'entrée dans la maison du Père, avec toutes les garanties de vivre comme un être humain. Nous allions exporter le produit « démocratie » dans le monde entier, et l'âge d'or nous attendait au tournant du chemin. Le bilan n'est pas gai : non seulement la démocratie se limite aujourd'hui à une vingtaine de nations quelque peu inquiètes, mais ce paradis mythologique que nous appelions de nos vœux apparaît comme un élément exploiteur et explosif à l'échelle planétaire. Le Tiers-monde est non seulement endetté à mort, mais il n'emprunte plus que pour payer les intérêts des prêts déjà contractés. La chute des cours des matières premières n'arrange pas les choses : entre 1972 et 1982, le prix du cacao a baissé de 10 fois, celui du sucre de 7. Quant à la dette des pays de l'Est, elle est passée de 7 milliards de dollars en 1973 à 80 milliards de dollars en 1981. Comme le dit un économiste pince-sans-rire : « Le communisme en crise se fait subventionner par le capitalisme en récession. »

Le bonheur et la justice ne constituent pas, il s'en faut, des valeurs périmées. Mais elles ne peuvent plus rester enfermées dans les limites douillettes du cocon France. Nous devons passer à une éthique de la responsabilité consciente de la dimension planétaire du problème. Ici, l'information a joué son rôle : culpabilité vague, bien sûr, quand la télévision retransmet, à l'heure des repas, les silhouettes squelettiques des enfants du Biafra, de l'Ouganda ou du Sahel. Trente secondes de remords avant les deux minutes trente-cinq de bonheur du chanteur de variétés et le goût tendre du poulet au four à micro-ondes. Nulle critique morale à avancer, encore moins d'indignation vertueuse : nous n'allons pas changer de mode de vie parce que d'autres, à des milliers de kilomètres, crèvent de faim. Le seul inconvénient, dans cette fichue société informationnelle, c'est qu'on ne peut plus ne pas les voir, ces petites mains décharnées des « E.T. » africains dans la paume généreusement tendue de l'homme blanc. L'échelle mobile des salaires légitima le pillage des ressources naturelles ; la garantie de l'emploi se paie par la fin de l'économie de subsistance des pays en voie de développement, forcés par les appétits néo-colonialistes et la trahison de leurs bourgeoisies nationales à la monoculture, signe tragique de leur inéluctable appauvrissement.

Or, la redondance terrible de l'information véhiculée par les caméras du village planétaire a émoussé la vivacité du sentiment de justice qui constituait la base morale essentielle de la civilisation du « progrès ». Le Vietnam fut la première guerre perdue *à* et *par* la télévision.

L'Amérique en ses profondeurs supportait de moins en moins de voir ses « boys » mourir en direct, sans parler du lieutenant Calley et du massacre de Mylai. Autre guerre télévisée : celle du Liban. On a beaucoup plus parlé de Sabra et Chatila (trois cents morts) que de la répression exercée par l'armée syrienne contre les Frères Musulmans dans la ville de Hama (trois mille morts). Slogan des contestataires américains dans les années soixante-dix : « Le monde entier nous regarde. » Dans le premier cas, il a pu effectivement voir ce qui a conduit quatre cent mille Israéliens à manifester à Tel-Aviv ; dans le second cas, le crime n'a pas laissé de trace. Les Soviétiques peuvent dormir sur leurs deux oreilles : leur télévision restera muette sur l'Afghanistan et la Pologne.

Grandeur et servitudes de la démocratie. La décolonisation, entamée dans les années soixante, a marqué l'écroulement des cathédrales conceptuelles du vieil ordre mondial. La culpabilité de l'échec, puis la froideur des désillusions ont amené peu à peu à l'hyperréalisme d'un consensus glauque. L'expression sartrienne « mi-bourreau, mi-victime, comme tout le monde » rend assez fidèlement compte d'une certaine réalité mentale. Et qu'est-ce que le « no future » des punks, l'esthétisme de la déchirure et du rasoir, sinon l'absurdité « camusienne » des années quarante ? L'étranger est dans la ville. Lui aussi se sent de trop. Mais à la différence de Camus, son engagement se situe avant tout dans la volonté d'être bien dans sa peau. Les fanas de l'aérobic, les enragés du walkman : triomphe du désir onaniste qui se double d'une lucidité froide, caractéristique des passions sans objet. On est cynique — juste ce qu'il faut —, on se pare de séduction à défaut d'embrasements véritables, on libertine au jeu de la vérité et de l'erreur : la ressemblance paraît assez grande avec les « tricheurs » de Carné et les dérives des années 50, au plus fort de la guerre froide. N'est-ce pas un philosophe aussi attentif que Jean Baudrillard qui module aujourd'hui le désespoir esthète des « stratégies fatales » ?

Dans l'inconscient collectif des peuples d'Occident court, avec l'évanouissement progressif du « progrès », vivace et amer, le désespoir de l'amour éconduit. Y aurait-il quelque chose de cassé dans le royaume ? Nous usâmes et abusâmes de notre souveraineté, durant tout le temps que nous étions seuls au monde : nous voici, semble-t-il, rendus aux ambitions de la « grande bouffe » et des petits récits, de l'ego libéré qui ne découvre que la mer de glace. La génération de la pilule et de la sexologie obligatoire, de la permissivité et des marchandises en solde fin-de-série, se retrouve dans un désert aseptisé, séduisant comme un décor de fast-food. Nous paraissons nager en plein dans cette morale du ressentiment que Nietzsche décrivit si bien. Morale qui empêche toute prise de responsabilités en perpétuant la double contrainte de l'envie et de la crainte envers les maîtres. Aux seigneurs d'antan s'est substitué l'Etat moderne, mais l'infantile sentiment d'infériorité et de dépendance vis-à-vis du pouvoir et de la hiérarchie est demeuré dramatiquement identique. Il n'est que de considérer les longs cortèges de pleureurs en marche revendicative vers le père nourricier. Des augmentations ! crient les uns. Des garanties ! clament les autres. Protégez-nous des étrangers ! Nous voulons vendre plus aux étrangers ! Flanquez-nous ces immigrés à la porte ! Nous travaillons trop ! Et l'Etat, hydre gonflée de charges et de pouvoirs, admirable bête ayant longtemps servie, guette la reprise comme les fellahs marocains guettent la pluie, et ne peut plus que murmurer d'une voix éteinte : rigueur, rigueur... Et, dans un grand cri de détresse : j'ai besoin de vous !

Il a raison. Mais comment se réveillerait-elle en sursaut, cette masse chloroformée par un quart de siècle de croissance et de protection ? Un rappel : au cours du septennat de Valéry Giscard d'Estaing, la France a été le seul des pays industrialisés dont la consommation ait autant progressé : + 25 % en sept ans... A droite comme à gauche, dans cette rage électoraliste et ce souci de rassurer qui caractérisaient jusqu'alors l'homme politique, nous avons fermé les yeux sur la crise et susurré à nos chers concitoyens : « Ne vous inquiétez pas. Cela va mal à l'extérieur, mais nous sommes là pour vous protéger et doubler votre ration de blédine. » La preuve : le revenu des ménages a augmenté plus vite que le Produit Intérieur Brut après la première crise pétrolière (notamment en 1975, avec la relance Chirac) et, dans une moindre mesure avec Barre, après le deuxième choc pétrolier (1978 et 1979). Nous préférâmes sacrifier l'avenir au présent. La gauche ne pouvait moins faire : en 1981 et 1982, le rapport est resté positif. En 1983, elle est contrainte d'inverser le processus pour respecter les dures lois de l'assainissement : avec 93 milliards de déficit du commerce extérieur en 1982, une dette extérieure de près de quatre cent milliards de francs, la croissance zéro et 9 % d'inflation en 1983, on ne peut plus, mais vraiment plus faire joujou.

D'où les hurlements : patrons, syndicats, corporations, partis politiques, tout le monde y va de sa complainte. Normal : on ne peut regretter le laxisme de l'entreprise France après l'avoir encouragé des années durant par le renforcement des mesures d'assistance. On ne peut regretter le manque de mobilisation après avoir favorisé si longtemps l'irresponsabilité. Nous récoltons les fruits de la politique tsé-tsé que nous avions semée. Pour régner, il faut être élu : cette heureuse tautologie démocratique, hélas, coûte cher. La surenchère démagogique du système « providentiel » a contribué au ressac du désenchantement général. Nous nous sommes comportés comme ces fils de famille, héritiers de prodigieuses fortunes qu'ils dilapident sans grâce ni joie, par un effet de décadence propre aux « fins de race », dans un vertige baroque et une neurasthénie poisseuse. Encore un paradoxe — un de plus : en même temps qu'elle devenait la troisième puissance exportatrice du monde, la France des majorités silencieuses avait érigé ses charentaises en valeur-refuge.

Notre économie n'est en crise qu'à proportion du taux d'apathie des masses : que l'on arrête d'incriminer les Arabes du pétrole, les Russes des SS 20, les Américains du dollar volant : bien sûr, la guerre économique mondiale nous atteint de plein fouet, mais nous eussions pu être mieux préparés à l'affronter si nous n'avions cédé à la grasse épaisseur des démocraties libérales, gâtées et pourries par les décideurs qu'elles ont délégués à leur tête et qui, pour bien conserver leurs statuts de gouvernants, durent accorder le miel et le lait dont dépendait, croyaient-ils, leur réélection. Ils savaient pourtant, nos chers responsables, que la France, depuis dix ans, vivait à crédit : ils n'en ont pas moins laissé les patrons compter sur les banques et sur l'Etat, et faire tomber les taux d'auto-financement des entreprises à 54,4 % en 1981 et à 48 % en 1982, les investissements baissant quant à eux, en volume, de 3 % en 1983. Ils ont favorisé les métiers abrités aux dépens des entreprises exposées ; ils ont sacrifié la bonne tenue des entreprises à celle des salariés, tout en sachant pertinemment qu'elles étaient indissociables. Il n'est jusqu'à Raymond Barre, le chantre apprécié de la rigueur et de la fermeté sur les principes, qui n'ait opéré, début 1981, sa mini-relance électoraliste : subventions versées aux agriculteurs pour le maintien du pouvoir d'achat (4 milliards de francs) : suppression, début février, de la cotisation exceptionnelle de 1 % sur l'assurance-maladie (15 milliards de francs de manque à gagner) ; répercussion incomplète sur les prix pétroliers de la hausse du dollar; report des hausses attendues et traditionnelles de certains tarifs publics (EDF-GDF). Initiative personnelle, compromission vis-à-vis de soi-même, ou petite faiblesse passagère de brillant second ? La gauche, quant à elle, opéra dès l'été 1981 une vigoureuse relance de la consommation alors qu'elle savait fort bien qu'une pareille mesure, appliquée à une économie disposant d'un appareil de production incapable de faire face à une demande intérieure brusquement augmentée, débouche immanquablement sur le déficit extérieur. Le Programme commun de la première année du présent septennat, c'est Keynes + la bureaucratie, avec pour résultat prévisible le virage à 180° : il était quand même fâcheux, pour des doctrinaires purs et durs, de laisser la France couler corps et biens comme un vulgaire *Titanic*.

Vérité-mensonge de la tradition démocratique : dissimuler pour être élu, infantiliser pour garder le pouvoir. Ce n'est plus possible. Dieu a besoin des hommes, nous ne pouvons plus nous contenter de veaux. D'ailleurs, ceux-ci ont commencé à le comprendre, justement grâce à l'information. Car si produire-consommer était la grande idéologie des trente « glorieuses » de la croissance, former-informer correspond exactement à l'univers de risques dans lequel nous sommes entrés à pas comptés. Durant la période faste, l'alternance démocratique garantissait la sécurité. Elle désamorçait les rivalités féodales qui, au temps jadis, joutaient pour les honneurs du trône. La société de consommation a ainsi admirablement réglé les conflits d'intérêts entre le Capital et le Social. Elle s'est fabriqué un consensus « unanimiste » en gratifiant chaque particularisme social, chaque catégorie socio-professionnelle, chaque corporatisme agricole, industriel ou tertiaire, au prorata de sa puissance stratégique respective, la pratique devenue quotidienne du « sondage » tenant lieu de boussole. Toujours au nom de la légitimité démocratique, nous avons soigné les plus influents de ces groupes au détriment d'autres, sciemment négligés ou sacrifiés.

La société de consommation a réussi : nous vivons dans un gigantesque jardin d'enfants, véritable utopie réalisée, justifiée par une invincible armada idéologique : justice pour tous, progrès sans fin, droits de l'homme, civilisation en marche recouvrant de son vertueux manteau les pauvres et les affamés : Saint Martin s'avançait, il était beau, il sentait bon le sable chaud de la prospérité, il allait écraser le dragon des misères. Mais, depuis vingt ans, stupéfaction : tout autour de ce Kindergarten prolifère un monstrueux chantier, mi-terrain vague pour loubards basanés, mi-réserve pour indigènes emplumés que nos touristes visitent par l'intermédiaire de quelques succursales à air conditionné, véritables vitrines de l'Occident contre lesquelles les petits indigènes viennent s'écraser le nez pour essayer d'apprendre à faire comme nous. Et quand ils n'y arrivent pas, quand ils savent enfin qu'ils n'y arriveront jamais, que le retard est irrattrapable, qu'ils ont raté le train de notre Histoire et qu'il ne leur reste plus pour perspective que de s'accrocher aux wagons à bestiaux, ils deviennent fous. De colère, de peur, d'incompréhension. Et se font ainsi les proies faciles du premier ayatollah de service ou du premier colonel mégalomane venu.

Si je m'étends aussi longuement sur ce terrible gouffre, c'est que non seulement le déséquilibre a pris des proportions explosives, mais surtout qu'il agit désormais *chez nous,* dans nos pays. Beaucoup plus dangereux que l'invasion ridiculement fantastique des hordes du Sud m'apparaît notre propre refus : refus de savoir, précisément, refus de voir et de vouloir. Refus d'être concerné par la guerre économique mondiale qui commande, malgré qu'on en ait, la bonne marche de l'entreprise ou la hausse des prix du supermarché. Et quand cette prise de conscience existe, elle entraîne le pire des effets pervers : puisque c'est mondial, je n'y peux rien. Puisque les meilleurs économistes de France se trompent dans leurs prévisions, puisque les gouvernements promettent et ne peuvent tenir, que voulez-vous que je fasse, moi, fétu de paille ? On s'accroche donc aux dernières illusions, aux privilèges acquis de haute lutte dans les années folles de la croissance, aux expéditions punitives dans nos dernières néocolonies. On fume à grands coups le dernier opium de la consommation. Un voyage aux USA montre les ravages de la crise : le besoin d'acheter étant là-bas constitutif de l'American way of life, le sentiment de dépendre du « Welfare State » et de faire la queue devant la soupe populaire entraîne quelques explosions de désespoir, qui sont autant de signes d'angoisse. Des groupes de jeunes affirment par la mort ce qu'ils n'ont pu incarner dans la vie. Les suicides collectifs d'adolescents sont un phénomène dont, depuis l'été 1982, les médias américains commencent à s'inquiéter[1].

Nous vivons, pour le meilleur et pour le pire, dans la transparence trouble de l'audiovisuel. Le pire : l'indifférence des gavés d'images, la résignation face à la misère du monde et à l'apparente vanité de toute action. Le meilleur : l'apprentissage de la responsabilité, la prise de conscience des désordres du monde, du risque d'anéantissement nucléaire, de l'interdépendance des nations et des économies, et la volonté de reprendre contrôle sur sa propre vie. Oui, nous sommes passés d'un univers de relative sécurité à un univers de risque relatif : merci encore, Madame la Crise. Nous mourions de neutralité.

Que l'on ne me prenne surtout pas pour un pessimiste chronique : il y a aussi beaucoup de choses, nombre de signes positifs qui émergent au royaume de France. Signes de renouveau, de jours meilleurs, de rapprochements, de reconnaissance, de goût du partage, de désir d'entreprendre : il n'était que temps de découvrir à quel point les chances de survie du monde se mesurent à l'aune de notre propre vouloir.

1. Le suicide a officiellement provoqué, en France, la mort de 10 500 personnes en 1980, contre 8 700 en 1977. Il est plus probable que le chiffre réel avoisine 30 000, soit davantage que les morts sur la route...

CHAPITRE VI

Pas de droits sans devoirs

Tout commence en effet par la responsabilité. La production-consommation d'un côté, la déroute des idéologies de l'autre, avaient précipité un nombre de plus en plus grand de nos concitoyens dans les bosquets de la vie buissonnière. « On est foutus, on mange trop », chantait Alain Souchon. La croissance, on l'a suffisamment répété, s'épuise; l'Evangile judéochrétien, qui a imprégné une bonne partie de la Terre, s'est trop souvent transformé en instrument d'oppression. Comme le dit Cornelius Castoriadis : « Dans les grandes religions monothéistes, le judaïsme, le christianisme et l'islam, il y avait plus à l'origine, beaucoup plus que ce qui a découlé d'elles par la suite. Elles ont introduit dans le monde une exigence de justice tellement grande qu'elles ne pouvaient pas ne pas la transgresser. C'est pourquoi ces religions ont obligatoirement institué la duplicité... Par exemple, le fait qu'au nom de l'amour des pauvres, la tiare du pape est recouverte de diamants... Qu'on brûle des gens au nom de l'amour du Christ[1]... » Les Encyclopédistes du XVIIIe siècle et la révolution de 1789, à leur tour, nous ont donné les principes « universels » des Droits de l'Homme : charte superbe dont le seul défaut est d'incarner le programme idéal d'une culture historique donnée, celle du plus pur produit civilisationnel de l'histoire : l'Europe des Lumières, fruit des transformations socio-économiques issues de la Renaissance. Les grands projets humanitaires, les grands mouvements de foules, les espoirs d'un monde meilleur nés de cette charte furent au moins aussi importants et durables que les pyramides ou les cathédrales d'antan. La vague de scepticisme qui ébranle actuellement toutes les idéologies ne doit pas occulter l'enthousiasme populaire qui hier encore les porta. L'espoir est là : la preuve par l'absurde nous en est donnée par le formidable « boom » des sectes, qui attirent des dizaines de milliers de jeunes écœurés par les églises officielles.

L'espoir ? Hélas, force nous est d'admettre qu'il a, pour le moment, complètement abandonné le terrain politique. Le marxisme est mourant, le libéralisme essaie vainement de se refaire une virginité, mais quel leader aujourd'hui suscite l'enthousiasme que provoquent Jean-Paul II à Cracovie ou à Lourdes, les prédicateurs américains qui battent chez eux tous les records de taux d'écoute, les gourous en transe de l'Inde ou ces Coréens bien tranquilles, expor-

1. In *L'auto-organisation, de la physique à la politique,* Le Seuil.

tateurs de gin-seng ? La soif spirituelle est là, traduisant la recherche désespérée d'un idéal, voire d'un projet sur lequel bâtir et agir. Les premières chartes collectives — Lois, commandements et sermons — ont superbement codifié les aspirations du monde occidental. Nous continuons à fonctionner selon leurs normes et leurs critères ; la dernière grande charte collective occidentale n'a surtout fait que laïciser et sophistiquer les premières, en suscitant et en accélérant les mouvements d'indépendance dans le monde entier. Mais, aujourd'hui, les « Droits de l'homme » connaissent, eux aussi, des retournements que l'on n'attendait pas. Au cours d'un colloque organisé à la Sorbonne sur le thème : « Course aux armements, course aux pacifismes. Paix et indépendance de l'Europe », Bernard Kouchner a le mieux exprimé cette ambiguïté. L'un des fondateurs de « Médecins sans frontières », puis de « Médecins du monde », Kouchner fait partie de cette génération qui se bat, en dehors de tous les « ismes » et de tous les partis pris, pour un idéal pratique et ô combien nécessaire : soigner, justement, les victimes de l'Histoire[1]. Son intervention marque bien les limites de toute idéologie, fût-elle pavée des meilleures intentions :

« Paradoxalement, la nouvelle et triomphante idéologie des droits de l'homme que j'ai, à ma mesure, contribué à répandre, est devenue un paravent. Ce qui, chez nous, est appelé

1. Ce qui n'empêche pas ledit Kouchner de jouer du clairon pour accompagner Montand dans ses expéditions tchadiennes... Ah, la culpabilité des vieux militants !

guerre, concerne les militaires et les politiques. Chez les autres, ça intéresse les droits de l'homme et les bons Samaritains. Ce qui concerne les droits de l'homme est retranché arbitrairement du politique. C'est la part consentie par les gens sérieux et les responsables politiques, les gouvernements, les experts stratégiques, aux boys-scouts et aux utopistes en blouse blanche. Comme ça, tout le monde dort tranquille : cela permet toutes les batailles, puisque les Croix-Rouges s'en occupent. Dans l'esprit du public, c'est devenu automatique : ces guerres de Noirs et de Jaunes sont l'affaire des organisations charitables. Tout le monde trouve que ça va très bien : chacun chez soi et des armes pour tous. De plus, les droits de l'homme sont devenus une sorte de fourre-tout, le sac-poubelle des bons sentiments : on confond l'emprisonnement au Chili et les bombardements d'hôpitaux en Afghanistan avec le problème des transsexuels, ou le droit de fumer du haschisch au lycée ! On dit aussi les " droits de l'homme chez Renault[1] ". »

Peut-être serait-il temps de ne pas se contenter de petites polémiques de basse cuisine, et de cesser de croire que l'on résoudra les problèmes de la Nation comme on redresse un bilan. Le sens de l'Histoire, après tout, ne devrait pas être, pour un homme politique, une ambition à dédaigner. Après des « sommets » aussi décevants que Versailles et Williamsburg, où la désinformation s'en donnait à cœur joie (unani-

1. *Cahiers du Forum pour l'indépendance et la paix,* été 1983.

misme de façade et, en coulisse, chacun pour tous et tous pour moi), il ne serait pas inutile de travailler à l'élaboration d'une Charte des responsabilités et des devoirs : devoirs des êtres les uns envers les autres, devoirs des êtres envers la collectivité et la société ; devoirs de la société envers les particularismes individuels ; devoirs des Etats dans le concert international ; devoirs envers le particularisme de chaque nation et envers les aspirations collectives des peuples.

Tel est, à notre avis, le sens de toute nouvelle démarche politique. Dans le dialogue nécessaire et conflictuel entre l'Etat et la société civile, entre la collectivité et l'individu, seule la valorisation de l'éthique nous évitera les catastrophes toujours possibles. J'emploie le mot dialogue à dessein : plus de parole venue d'en haut, plus de décisions prises dans le secret des cabinets ministériels, mais un feed-back cybernétique permanent entre décideurs et citoyens. Le spectacle médiatisé a suffisamment servi à la désinformation et à l'abrutissement : il est temps de l'utiliser autrement. Pour notre plus grande pérennité. Les trafiquants de drogue électoraliste que nous fûmes savent bien la nécessité d'une vaste campagne de désintoxication socio-économique.

Le nouvel homme politique devra surplomber les faces multiples de l'événement, et en tirer la leçon au-dessus des préjugés : armé de vérité mais expert en patience, ayant intégré les plus fines théories des processus communicationnels, sa parole devra se situer à la charnière de la clarté et de la séduction. En bref, plus question de penser blanc et noir ; nos stratégies doivent plutôt se plier aux théories de l'incertitude et de la complexité. Après tout, le langage politique devrait-il indéfiniment montrer qu'il a des années-lumières de retard sur la science moderne ?

Tous les chemins mènent à la Rome du devoir et de la responsabilité. Elle n'est pas loin, la grande éclosion des années soixante, l'infinie palette des mouvements dits de libération où toutes les minorités sociales, ethniques, sexuelles se mettaient à parler haut et fort ; le « complexe de Narcisse », comme l'écrivait joliment Christopher Lash[1], prenait de plein fouet une société où l'incitation permanente à la consommation ne pouvait que faire voler en éclats les vieux interdits séculaires régentant un peuple soumis, laborieux et frustré. Puisqu'on était assez adulte pour acheter, assez libre pour choisir, plus question de limiter la pulsion du désir à la possession des objets. La vague des enfants de Reich et de Marcuse a recouvert le paysage, étape nécessaire dans l'épanouissement du citoyen occidental moderne. Mais seulement étape. On est allé jusqu'au bout des revendications du corps et du sexe, avec un seul mot d'ordre : l'épanouissement. Mais l'indifférence esthétique de Narcisse ne peut suffire à combler une vie. La « libération » n'apparaît plus comme la panacée universelle : le voudrait-on que le regard des dissidents soviétiques, celui des affamés du Sud profond viennent

1. *Le Complexe de Narcisse,* éd. Laffont.

se rappeler chaque jour à notre souvenir. Les droits, si importants, si légitimes soient-ils, ne suffisent pas au bonheur ; il y manque l'autre pôle essentiel : les devoirs.

Avec la société médiatisée, la culture talonne de près l'événement. Car il faut bien voir ici comment fonctionne l'information, et sa différence radicale avec la consommation. Consommer implique préalablement l'acte de produire, le tout entrant dans une démarche calculable et codifiable à l'avance. La démarche d'information, en revanche, n'a pas de contrepartie. Cela veut dire que nous sommes tous, à tout moment, producteurs et consommateurs d'information. Tout comportement est information ; je peux refuser d'acheter tel ou tel objet, mais, sauf à vivre seul dans une grotte au fin fond du Hoggar, je ne puis échapper à l'émission-réception des signes. Dès que cesse le comportement, dès que cesse l'information, c'est la mort. Et encore : par le biais du mythe, celle-ci continue évidemment à signifier.

Cette différence est essentielle : elle marque en effet, dans notre société, le passage entre un développement quantitatif (de quantités produites et consommées) et un développement qualitatif (de qualités communiquées, transmises, transitées).

L'objet que l'on essaie de me vendre offre des garanties : usage, fiabilité, durée, etc. Je suis dans un système de sécurité (toute relative, bien sûr, mais c'est un autre problème). En revanche, l'idée qu'on me présente, qu'on me transmet, est par essence insaisissable, fluide, voire fuyante : elle peut m'échapper, être réfutée, ridiculisée, ou trouver des prolongements imprévus, des épanouissements inattendus, qui peuvent se traduire notamment par... la création d'objets. C'est dire que je suis ici dans un système de risque, puisque je peux acquérir un objet, un produit, mais que je ne puis en aucun cas devenir le propriétaire exclusif d'une idée ou d'une information qui, dans le moment même où elle est transmise, appartient à qui veut s'en emparer.

L'idée n'a ni espace ni temps ; si Léonard de Vinci avait disposé de l'industrie des plastiques, de drôles de fous volants dans de drôles de delta-planes auraient pu survoler le Camp du Drap d'Or. Le monde perçu selon le modèle de l'information devient ainsi une immense fourmilière d'idées. Sans garde-fou, sans limites, sans garanties : d'où, par réflexe de sauvegarde, la renaissance du sentiment de responsabilité. En manipulant des machines informatiques hyper-complexes, on devient responsable de l'idée transmise. Responsabilité d'autant plus grande qu'elle n'est point basée sur l'idée de propriété.

Ce discours peut paraître abstrait : en fait, il n'a jamais été si proche du réel. Comment en effet gouverner autrement, si nous ne prenons pas en compte les changements structurels apportés inéluctablement par la planétarisation des problèmes et l'incompressible irruption des technologies de pointe ? La nouvelle culture qui émerge de l'explosion des désirs des années 70 et des performances robotiques et télématiques des années 80 va favoriser des rapports humains totalement différents. Plus : elle va exiger une présence humaine en termes de qualité, de chaleur et de convivialité, qui faisait, on en conviendra, assez cruellement défaut au règne indivis de la consommation.

Paradoxe ? Pas du tout. Aujourd'hui encore, nous achetons, nous consommons en ignorant assez superbement la composition du produit acquis. Réparer sa voiture reste, pour 85 % des conducteurs, une tâche au-dessus de leurs forces : qui sait en effet exactement comment fonctionne un delco ? Nous retrouvons ici la fameuse attitude « culpabilité-ressentiment » qui reste le dénominateur commun de bien des majorités de moins en moins silencieuses. Votre garagiste, lui, *sait :* il change le moteur de votre voiture, alors qu'il vous aurait suffi de changer une tête de delco. Vous le devinez, mais comme vous n'êtes pas compétent, vous ne pouvez rien y faire : déséquilibre désastreux d'un savoir parcellisé parce que trop complexe, livré aux mains toutes puissantes des experts, engendrant forcément des réactions hostiles. Ici réside un des facteurs essentiels du malaise de notre civilisation, malaise qui se traduit dans les blocages politiques et les affrontements sociaux qui constituent notre quotidien. Je veux bien payer plus d'impôts, mais je voudrais savoir où va mon argent : les experts non seulement ne me le disent pas, mais me répondent en termes de bilans généraux qui me passent complètement au-dessus de la tête. Je veux bien payer mes cotisations de Sécurité sociale et de chômage, mais je voudrais savoir si le déficit qui augmente d'année en année est absolument nécessaire, et s'il n'y a pas de solution ; un débat au Parlement ne saurait tout de même suffire à mon désir assez clair de ne pas être pris pour un demeuré.

Nul exercice sain et équilibré du pouvoir ne pourra désormais se passer de la plus grande diffusion possible du savoir, et surtout des moyens de contrôle. L'informatisation croissante de la société va multiplier, pour notre plus grand bonheur de gouvernants, les soupapes de sécurité. Le conducteur d'une voiture équipée d'un système de chek-up électronique avec logiciel de contrôle sera capable de « lire » l'état de son véhicule et donc d'en parler en connaissance de cause avec son garagiste. Le couple infernal impuissance-irresponsabilité pourra enfin être cassé par une meilleure accession au savoir réel. La généralisation de l' « arnaque » n'est qu'un effet manifeste du sentiment d'irresponsabilité : je t'exploite au nom de mon droit à la libre entreprise, je t'exploite parce que l'Etat m'exploite, et que les enfants adorent subtiliser des pots de confitures dès que Maman a tourné le dos. Mi-subjugué, mi-larron, comme tout le monde. Les mille et un sentiers de la grande débrouille...

Il est évident que la société info-culturelle qui se met en place ne va pas résoudre à elle seule la question de l'irresponsabilité et de l'illégalité sociale ; elle va encore moins faire disparaître comme par enchantement les faux chômeurs, les fraudeurs du fisc, les travailleurs au noir et autres hors-la-loi plus ou moins malins, de la créativité desquels il conviendrait parfois de tirer meilleur parti. Faire de l'ordinateur la nouvelle panacée universelle serait aussi imbécile que de chercher son salut dans une quelconque idéologie du prêt-à-penser contemporain. On ne répétera jamais assez que l'informatique n'est pas une doctrine, mais un outil. Ce que l'on peut avancer, en revanche, c'est que le contrôle sur le « savoir réel » individuel sera beaucoup plus aiguisé. Le client pourra immédiatement tester les marchandises qui lui seront présentées. On pourra vérifier aussitôt la qualité du travail fourni.

Cette capacité de contrôle permanent fait peur à certains, qui y voient les prémisses déjà visibles d'une mise en fiches de la société, d'une instauration dictatoriale qui, pour être plus subtile et plus molle que les sinistres exemples historiques connus, n'en resterait pas moins redoutable : *1984,* eh bien, justement, nous y sommes ! Il existe tout de même une différence fondamentale entre le système décrit par George Orwell et la société d'info-culture. Le premier repose sur une structure hypercentralisée et hiérarchique, la seconde ne peut fonctionner que par le polycentrisme et la polymorphie : non la pyramide verticale, mais la sphère plurielle et diversifiée. Dans ce contexte, le rôle de l'Etat est clair : il ne s'agit plus pour lui de contrôler le jeu social (ce rêve est devenu délirant en période de crise), mais simplement les règles et modalités de sa mise en place. L'Etat-Providence est mort, l'Etat-formateur et chorégraphe commence. Dans un système où la qualité du produit fini pourra être contrôlée d'une manière de plus en plus précise, la responsabilité sera à nouveau personnalisée. Dans un système où l'automatisation ira croissant, le travail répétitif et quantitatif cédera du terrain à la créativité innovante et qualitative. Tant pis pour les fanatiques du gaspillage et de la turgescence de la demande intérieure : il leur faudra désormais se recycler et faire fonctionner leurs neurones. Vaste programme.

neurones. Vaste programme.

> « L'ordinateur, s'il se trompe, je sais que c'est ma faute. Alors qu'à l'école, si je ne connais pas ma leçon, je peux toujours dire que le professeur explique mal... »
>
> *Diane, 13 ans, à* France-Inter.

CHAPITRE VII

L'important est que « ça » parle

Etrange pays que le nôtre ! D'un côté, la chape de plomb des règles, des codes, de la hiérarchie administrative, des blocages en tous genres ; de l'autre, une fantastique mine de créativité, un gisement d'innovation qui affleure de temps à autre en geysers plus ou moins incontrôlés, et le désir de se parler, d'être informé, responsable. Les « cercles de qualité » qui font si peur aux syndicats sont une invention d'outre-Atlantique qui connaît un énorme succès au Japon et qui, depuis quatre ou cinq ans, a effectué une percée spectaculaire dans certaines entreprises américaines, puis françaises. Ces cercles regroupent employeurs et employés une fois par semaine, pendant une ou deux heures, prises évidemment sur l'horaire de travail. Tout y est évoqué : les cadences, les horaires, les problèmes psychologiques entre individus, l'organisation du travail en équipe et enfin — et surtout — l'apprentissage d'une véritable responsabilité. Ainsi, dans une usine du Kansas, ce sont les employés qui décident des cadences et des rotations ; dans une usine de vitamines de l'Oklahoma, les travailleurs vont jusqu'à décider de l'embauche. Les syndicats accusent ces « cercles de qualité » d'être un instrument paternaliste, une parodie de démocratie où le patron retrouve toujours sa maîtrise. Et pourtant, ce sont les mêmes motivations informatives et participatrices qui animent le conseil d'atelier du département 47 de l'usine Renault de Sandouville. Des travailleurs appartenant à des syndicats d'obédience différente se réunissent régulièrement et mettent tout sur la table, critiquant le travail de l'un ou de l'autre, la conduite d'un agent de maîtrise (l'encadrement est d'ailleurs convié aux discussions), le choix des techniques, l'étiquetage, etc. Plus de délégation de pouvoir, plus de professionnels de la parole : imaginez le système fonctionnant ainsi dans toutes les entreprises françaises !

Cette envie d'autonomie se manifeste assez spectaculairement par la multiplication des coopératives, associations, mutuelles, collectifs professionnels qui regroupent, en France, plus d'un million de salariés. La plupart des témoignages recueillis dans ces territoires de l'économie « informelle » s'accordent sur un certain nombre de convergences significatives : ici, on peut discuter les ordres ; il n'est plus possible de se réfugier derrière le grand frère syndicat ; il n'y a plus d'agents de maîtrise-tampons, mais une confrontation et une négociation permanentes au cours desquelles les techniques de séduction jouent un rôle primordial. Ici, il faut s'impliquer, participer : plus d'échappatoire coupable ou je-m'en-foutiste ; on se parle tout le temps, on pratique le contrôle mutuel. « Le travail, disent-ils, c'est pour nous, pas pour le patron. » L'on ne craint pas de faire des journées de plus de dix heures, puisqu'on l'a décidé...

N'idéalisons pas le tableau : les problèmes de marché, de concurrence, de compétitivité ne seront pas réglés en un tournemain par la baguette magique de la fée convivialité. Mais il reste évident qu'une entreprise qui se veut « performante » devra réaliser entre les gens qui y travaillent le consensus actif sans lequel rien ne se fera. Tous les modèles hiérarchisés : famille, école, administration, entreprise, vont être retournés de fond en comble par la toute-puissance du désir démocratique, aidé par la télématique décentralisée. En tout état de cause, ce besoin de créer, d'innover, de se responsabiliser, est ressenti — quoi qu'on ait pu penser — par un nombre croissant de Français. On cherche toujours à se recaser dans la Fonction publique, mais on sait désormais que cela sera de moins en moins possible. Après leurs grandes largesses de 1981-82, même les socialistes ont compris qu'il fallait dégraisser. Pour la première fois depuis vingt ans, 40 000 fonctionnaires mis à la retraite ne seront pas remplacés.

Au sommet, on limite ; à la base, on s'aventure : selon le ministère des Affaires Sociales, sur cent mille entreprises nées en 1982, 43 500 sont dues à l'initiative de chômeurs (elles n'étaient que 10 000 en 1979). Au bout d'un an, 85 % de ces nouvelles entreprises tiennent le coup. Il n'est pourtant pas simple de créer une entreprise, dans notre beau pays. Aux Etats-Unis, il faut vingt minutes et vingt dollars de dépôt. En France, l'examen du dossier prend deux mois. Encore faut-il apprendre à le rédiger : pour une société anonyme, la valse kafkaïenne du retrait des premiers papiers, de la signature des statuts et du feu vert du Tribunal de Commerce prend au moins quatre mois. Pour le jeune aventurier peu au fait des paperasseries, le parcours du combattant est long et les échéances courent déjà. La Chambre de Commerce prodigue gratuitement des cours de gestion, mais il faut le savoir...

Aberration tragi-comique du système : Mitterrand exalte les entrepreneurs, héros des temps modernes; Delors passe son temps à essayer de les rassurer, et à essuyer les larmes amères d'Yvon Gattaz; l'establishment politique répète à l'envi que le pays ne survivra, dans la jungle contemporaine, que grâce à la compétitivité de ces chevaliers de l'industrie; et qu'avons-nous pour répondre à ce besoin? Trois squelettiques chaînes de télévision. Le tout nouveau président de l'une d'elles déclarait même fièrement : « Il importe que nous retrouvions notre rôle premier, qui consiste à divertir les Français. »

Divertir les Français! Il est des pelotons d'exécution qui se perdent. Nous sommes embarqués dans la navette planétaire, le moindre frémissement du Dollar nous fait trembler d'angoisse, une révolte à Faya Largeau nous mobilise, une menace sur le détroit d'Ormuz nous fait remplir nos baignoires de super. Nous importons 28 % de notre consommation en marchandises industrielles, et beaucoup plus pour les biens d'équipement ; nous n'exportons que 31 % de notre production industrielle, nous sommes endettés jusqu'aux dents, nous savons que l'unique parade réside dans notre ressource humaine et dans l'accroissement de nos budgets de recherche et de développement, — et que faisons-nous pour la formation et l'information de tous ces jeunes désireux d'aller de l'avant ? Trois chaînes, même pas capables de fonctionner 24 heures sur 24, qui ne manquent ni de talents ni d'imagination, mais qui procèdent d'une démarche mentale de république bananière. Le brave Delors reconnaissait son « insuffisance » à mobiliser. Parbleu ! Où sont les nouveaux canaux, les réseaux câblés, les 56 chaînes (payantes ou pas, subventionnées par la publicité ou pas) qui diffuseraient aux populations intéressées, reportages et dessins à l'appui, les mille et une manières de créer une entreprise, de constituer un dossier, les filières administratives et bancaires ? Où sont les programmes pédagogiques où administrateurs et administrés se rencontreraient, en des débats qui ne manqueraient ni de théâtralité, ni de « suspense », ni de rebondissements, ni d'humour, pour discuter et essayer d'aplanir les difficultés et les malentendus entre Etat et société civile ?

La plus grave erreur des socialistes est, sans conteste, de ne pas avoir compris, jusqu'ici, cette loi première de la puissance. En se montrant, le pouvoir se légitime tout en se confortant lui-même. par auto-suggestion spectaculaire, dans la certitude de son rôle. Plus que jamais, à l'ère de l'info-culture, le marchéage des réformes est au moins aussi important que leur contenu. Rappelons-nous, à l'heure de la reconquête qui ne manquera pas de sonner : l'important est que « ça » communique. On ne gouverne pas par le silence. Certes, le ministère de la Culture s'agite joliment dans sa cour de récréation, mais qui est interpellé en dehors des convaincus d'avance, des suiveurs et des sympathisants ? Où sont les mots d'ordre, les invitations astucieusement « ménagées », les suggestions aguichantes, où est la *séduction* nécessaire à la réussite du projet [1] ? La promotion est indispensable à la bonne santé de l'entreprise, qu'elle soit moyenne, étatisée ou multinationale. Si les socialistes estiment que leur gestion est défendable (j'espère qu'ils y croient, sinon l'ANPE n'est pas loin), ils devraient savoir qu'il n'y a rien d'humiliant à bien savoir vendre un bon produit.

Les marxistes d'école primaire, comme les libéraux à œillères, veulent jeter l'enfant avec l'eau du bain. L'Etat doit maigrir : la chose est évidente. Mais souhaiter sa disparition est une stupidité. L'Etat moderne devra être le bon gestionnaire des conditions du développement. A lui d'organiser l'infra-structure du pays en

1. Je pense à la Fête de la Musique, le 21 juin dernier : bonne idée. Mais où est la chaîne de télévision qui, cette nuit-là, dans une formidable « Intervilles » culturelle, retransmettait en direct tous les « bruits » du pays ?

termes d'aménagement du territoire, de politique étrangère, d'économie, de planification des grands travaux nationaux. Comme il ne peut plus distribuer ses bienfaits au tout-venant, il devra organiser les espaces illimités de la communication : le système ne fonctionnera, évidemment, que par la fluidité et la rapidité des transmissions entre toutes ses composantes. Il est normal que la direction des télécommunications contrôle désormais les moyens de standardiser toutes les structures capables de recevoir les différentes machines de la future bureautique familiale (ordinateur individuel, téléphone télévisé, robots ménagers et de sécurité, etc.) L'Etat ne peut plus cantonner son rôle de pédagogue au ministère de l'Education nationale : sa fonction est aussi, désormais, d'informer les adultes, ce qu'il fait déjà mais ô combien timidement ! Il s'agit de déborder le territoire scolaire pour irriguer tous les niveaux de l'information quotidienne : placards routiers, spots radio-télédiffusés, encarts dans les journaux, brochures expédiées aux entreprises et aux particuliers, campagnes de sensibilisation et autres moyens d'expliquer, de former et d'informer.

Ici encore, l'Amérique du Nord a pris une avance considérable : près de 50 % de ceux qui fréquentent là-bas les institutions scolaires et universitaires sont âgés de plus de trente ans. Recyclage oblige : les adultes reviennent sur les bancs de l'école, aiguillonnés par les campagnes d'information qui leur expliquent que la qualification est l'un des moyens les plus sûrs d'échapper au chômage. L'ère de la formation permanente de masse commence, qui permet de placer dans une perspective entièrement nouvelle les querelles actuelles au sujet l'Education nationale, ce psychodrame aux implications tragiques qui a occupé une bonne partie de l'année 1983. Que la culture générale reste le fonds commun de nos lycées et de nos écoles, quoi de plus normal ; un esprit unidimensionnel ne sera pas prodigue en potentialités créatrices. Mais que les filières universitaires ne s'adaptent pas aux métamorphoses socio-économiques mondiales, voilà qui ne peut demeurer, n'en déplaise aux mandarins de tout acabit. La formation permanente proposera un vaste échantillonnage d'apprentissages et de perfectionnements : il ne s'agira plus ici d'accueillir béatement l'élève pour un programme d'instruction minimal ou même perfectionné, mais de convaincre les adultes qu'ils ont tout intérêt à suivre quelques-uns des programmes proposés. D'où l'avantage, encore une fois, de la séduction d'une bonne campagne d'information.

Sans donner dans un catastrophisme de mauvais aloi, nous savons qu'il est minuit à l'horloge des mutations industrielles et du chômage grandissant. Des enquêtes effectuées par l'OCDE et la CEE en juin 1983, il ressort que, durant la décennie 1980-1990, *les effectifs diminueront de moitié dans le textile (suppression d'un million d'emplois, après les sept cent-dix mille supprimés entre 1974 et 1980) ; suppression de 30 % des effectifs dans la sidérurgie (après une diminution de 20 % entre 1974 et 1981) ; enfin, suppression du tiers des effectifs dans l'industrie automobile.* De plus, répétons encore que deux salariés sur trois devront se reconvertir durant les dix prochaines années ; que les investissements devront doubler et même tripler pour atteindre à une réelle compétitivité ; et que le budget de la formation professionnelle représente actuellement moins de 2 % de la masse salariale. Devant ces chiffres, l'actuel débat sur les responsabilités de l'ancien ou du nouveau régime devient assez dérisoire !

On peut dès lors envisager avec une inquiétude non dissimulée les conséquences sociales de ce choc du futur que nous n'éviterons pas. Ici encore, les Etats-Unis nous offrent les signes annonciateurs de la gigantesque mutation en cours : récession dans la sidérurgie et le textile, ruée vers la micro-électronique, les lasers, les fibres optiques, l'ingénierie génétique et la biotechnologie. Les ventes d'ordinateurs personnels sont passées de 4,7 milliards de dollars en 1982 à 7,7 milliards de dollars en 1983. Le chiffre d'affaires prévu pour 1987 est de... 21,6 milliards de dollars. C'est la nouvelle ruée vers les Eldorados technologiques : la route 128 près de Boston, la Silicon Valley en Californie, Research triangle Park en Caroline du Nord. La recherche devient le nouveau trésor de guerre américain. Trente-six mille robots industriels sont d'ores et déjà utilisés au Japon, et 6 500 aux USA : les usines Ford doivent licencier la moitié de leur personnel (deux cent cinquante mille ouvriers) si elles veulent concurrencer efficacement les Japonais. De plus en plus d'entreprises sont détaxées ou subventionnées dans la mesure où elles s'occupent du recyclage et de la formation de leurs employés.

Le magazine *Time* du 30 mai 1983, qui livre ces chiffres, précisait évidemment que les deux domaines où l'on ne risquait pas de connaître le chômage étaient précisément ceux de la formation, et... de la forme ; pour être « performant », il faut être en bonne condition physique ; les fabriquants de tenues de jogging peuvent sourire à l'avenir, ainsi que les secrétaires de direction, les nurses, les comptables, les employés de restaurant fast-food (MacDonald, aujourd'hui, emploie plus de personnel que US Steel !). Parmi les professions « condamnées » à l'inéluctable déclin, *Time* cite : les instituteurs, les professeurs, les travailleurs agricoles et... le clergé.

Les choix sont clairs, et le dur devoir de vérité s'impose à l'homme d'Etat digne de ce nom. Ce n'est pas parce que la sidérurgie et les charbonnages sont nationalisés qu'il faut reculer les échéances, et jeter les deniers des contribuables dans des domaines que l'on sait condamnés. La gestion « sociale » de la crise est une superbe expression pour noces et banquets, mais l'on ne palliera le drame humain que par la création de nouvelles industries, ce qui implique une refonte totale de notre système éducationnel, et l'instauration immédiate de cet état de formation permanente, sans laquelle rien ne se fera. Ici, la contribution du médium télévisé est indispensable, afin que chacun visualise clairement les enjeux et soit placé face à ses responsabilités de citoyen ; pendant quinze ans, nous avons laissé l'enseignement supérieur devenir l'auberge espagnole de tous les aspirants à un statut social et à une profession « noble », sans nous préoccuper des possibilités futures du marché. Le paradoxe amer de la situation présente est qu'il appartient aux socialistes, anti-élitaires par essence, d'entrer dans le labyrinthe périlleux de l'inévitable sélection. Futurs médecins et avocats en herbe ont beau défiler, tempêter, organiser avec plus ou moins de talent le marketing de leurs manifestations (nouvel hommage rendu à l'info-culture) : ils ne pourront faire que tôt ou tard, le conseiller juridique sera remplacé par des logiciels spécialisés, que le médecin verra son rôle diminuer en partie grâce à l'ordinateur qui aura en mémoire tous les maux rencontrés dans notre vie, du simple bobo à l'infarctus, et qui ira jusqu'à formuler le premier diagnostic...

Ici encore, l'information-formation jouera un rôle essentiel en montrant non seulement que les issues ne sont pas bouchées, mais que la France est un pays riche de traditions vivantes et de potentialités ; et en mettant en vedette les créateurs, les inventeurs et les chefs d'entreprises qui jouent les condottieres aux quatre coins du monde afin de conquérir des marchés nouveaux. Est-ce vraiment faire preuve d'un nationalisme archaïque et étroit que d'affirmer qu'il importe, ici et maintenant, de faire rêver de la France ?

Le vieux, la crise, le neuf : les mots de Gramsci sont toujours d'actualité, même s'ils ont changé de territoire.

CHAPITRE VIII

Apprendre à apprendre

Au-delà des avantages (réels, reconnaissons-le sans démagogie : cette université de vestales apeurées, fossilisée sur sa culture abstraite, fermée sur le réel, il fallait la secouer) et des inconvénients (très réels, eux aussi : non-sélection à l'entrée de l'enseignement supérieur, universités bâties toutes sur le même modèle, centralisme et bureaucratie) de la loi Savary, il faudrait essayer d'expliquer pourquoi nous en sommes arrivés là. Pourquoi ce retard quasi schizophrène sur le monde réel. Si l'on ne commence pas par la jeunesse et par l'éducation, autant s'abandonner tout de suite à la décadence programmée, se naturaliser japonais, vivre de Burger-Kings et mettre nos intellectuels dans des cages devant lesquelles touristes coréens et américains lanceront des cacahuètes, ravis de contempler de si près la fine fleur de l'esprit français.

Il nous faut partir de la faillite de la transmission du savoir. Que demande-t-on en effet à l'élève, à ce bon sauvage ? De participer au jeu du savoir en se formant aux jeux du langage.

Dessin caché de la vieille tapisserie éducative : fabriquer des centaines de petits encyclopédistes à la tête bien pleine. Tous ceux qui ont connu les bancs de l'école du bon vieux temps peuvent témoigner de ces interminables poésies, départements, fleuves et capitales, bataille de Marignan et l'honneur selon Corneille, le tout à apprendre par cœur, sans toujours comprendre. Ce mode d'instruction favorisait évidemment ceux qui assimilaient les lois occultes de la comédie : plaire, avoir de la mémoire, afficher à tout moment la plus grande assurance. Des élèves comme Einstein, qui n'avaient pour armes que leur douceur et leur timidité, ont raconté les déboires de leur vie scolaire, où la dissimulation séductrice était reine.

Enfin surgirent les révolutionnaires de la nouvelle éducation. Les pédagogues modernes se sont donc attelés à la tâche, ô combien difficile, de faire aimer son apprentissage par l'élève sans modifier en quoi que ce soit le contexte scolaire : huit heures par jour, station assise, entre quatre murs. Il fallait désormais aimer apprendre, être créatif dans le lieu même où des générations d'enfants avaient subi un véritable dressage qui, à l'époque, ne cachait pas sa croyance sincère dans les saines vertus de la punition-récompense. Mais ce régime « policier » entraînait d'intéressants effets pervers : apprendre de force signifiait apprendre à être rusé, afficher un superbe sentiment de confiance alors que l'on crevait de peur : gérer ses masques successifs avec une certaine volupté. L'ambition ou l'arrivisme aidant, qui de nous n'a ainsi « joué » avec passion ? Or, nos humanistes « libérés » bouleversent tout cela : ils suppriment la sanction, bannissent la peur et réclament que la farce continue par pur idéal libertaire : faites ce que vous voulez, mes chéris ! Soyez libres, soyez créatifs ! Plus de dissimulation ! Plus besoin d'apprendre par cœur ! Nous avons aboli nos privilèges ! Mais ils n'avaient pas aboli l'école, ni les horaires ni la routine.

Que l'on ne se méprenne pas sur les nostalgies ici exprimées : il ne s'agit évidemment pas de regretter la belle époque des brimades, des humiliations et des coups de règle sur les doigts ; mais, simplement, de reconnaître que dans ce système, si répressif qu'il pût être, la dimension ludique était tout à fait présente : il s'agissait en effet, pour les élèves, de feindre et de feinter, bref : de se poser en s'opposant. Cet univers avait l'insigne avantage de préparer les futurs Rastignac à la société dans laquelle ils allaient bientôt entrer : le Livre de la Jungle qui s'écrivait chaque jour au tableau noir n'était pas sans rappeler l'autre jungle, la vraie, où les plus rusés et les plus agiles l'emportent. L'avenir nous appartenait...

Dans la flambée de la modernisation générale, on a voulu assouplir la règle scolaire, supprimer la crainte et favoriser l' « authenticité » des rapports entre étudiants et professeurs. Nobles et catastrophiques intentions : le dernier bastion ludique du risque et de la « débrouille » s'effondrait comme un château de cartes. Cette fois, il ne restait plus rien. Rien d'autre que le contexte : administrations, locaux, horaires, etc. Aux transgressions de jadis, contées par les potaches comme autant de hauts faits d'armes, vecteurs d'imagination et de création, se substituaient de simples et mortels ennuis.

Changeant de mode d'éducation, il eût fallu introduire simultanément les techniques de séduction qui avaient déjà fait leurs preuves dans les domaines de l'information commerciale et politique. Mais les bons apôtres de l'humanisme laïque et obligatoire méprisaient souverainement ces pratiques sulfureuses, caractéristiques d'un capitalisme honni. Le puritanisme idéologique des églises marxistes et catholiques confond dans le même opprobre le behaviorisme de Pavlov et de Skinner (le procès du conditionnement et de l'embrigadement n'est plus à faire) et la cybernétique multidisciplinaire de l'école de Palo Alto, dont elles n'ont sans doute même jamais entendu parler.

Point n'est besoin d'insister sur les résultats d'un tel aveuglement : alors que la société développait ses incitations et s'adonnait aux joies du marché et de l'information, l'école, elle, se terrait dans des structures périmées, indifférentes à l'événement, négligeant la mode, ignorant les techniques de pointe : vieux temple d'une science désuète, d'une histoire sans panache, redondance sans fin des glaciations moyennageuses... et l'on voudrait que de ces éteignoirs institutionnalisés jaillissent les grands aventuriers de demain ?

Cela, évidemment, ne durera pas. La métamorphose est d'ores et déjà amorcée. De l'extérieur, bien sûr. A la pusillanimité éthique qui a montré ses limites va se substituer, qu'on le veuille ou non, le nouveau médium informatique. L'école n'a pas su s'ouvrir au monde ni intégrer les techniques de charme et de suggestivité qui imprègnent le tissu social moderne, tout en ayant levé tous ses ponts-levis. Or les élèves rentrent chez eux, flânent dans les rues, regardent les vitrines, s'agglutinent — un peu trop — devant la télévision. Qu'importe. Ils ont aidé le cheval de Troie à pénétrer dans la place. Machines à calculer, jeux électroniques et ordinateurs de poche : le message passe[1].

Il passe, hélas, lentement. Dans un rapport présenté aux ministres de la Recherche et de l'Education, un universitaire, Maurice Nivat, dénonce le manque de personnel et de moyens techniques, la pauvreté de l'initiation, le manque d'enseignants et de matériels informatiques adaptés[2]. Par ailleurs, la recherche est coupée de l'industrie. Les chercheurs ne sont pas encouragés à participer au développement de produits originaux, ce qui est désormais tradition-

1. Il commence à timidement passer dans le IXe Plan : formation de 100 000 salariés par an à la productique à partir de 1986 ; diffusion, sur chacune des trois chaînes d'Etat, d'au moins une heure hebdomadaire d'initiation à l'informatique dès septembre 1984...

2. L'expérience du micro-ordinateur français Goupil est passionnante, mais il lui reste à s'implanter solidement sur le marché. En tout état de cause, elle montre bien comment peut arriver un groupe de créateurs et d'entrepreneurs motivés.

nel aux Etats-Unis. Il faut mettre fin à cette coupure criminelle entre chercheurs et ingénieurs, par exemple en incitant les entreprises à affecter 1 % de leur valeur ajoutée à un établissement de recherche de leur choix, et en « détaxant » celles qui le feraient. Par ailleurs, le rapport Nivat souligne que chaque travailleur confronté avec la perspective d'informatisation de son entreprise devrait disposer d'au moins cent heures d'initiation, ce qui existe encore trop rarement.

Enfonçons encore le clou : l'informatique n'est rien, ne nous apportera rien si elle ne s'intègre pas dans un projet de société, un grand dessein humain qui doit trouver son incarnation de base dans le système éducatif, synonyme, depuis l'académie platonicienne, d'orientation souhaitable vers un devenir possible. La responsabilité de l'homme politique se retrouve ici. Comment s'étonner de l'indifférence des Français à l'égard de la chose publique si nous végétons dans la langue de bois d'un manichéisme préhistorique, bardé de certitudes éculées, à l'heure où tout se métamorphose ? Je m'adresse ici à mes amis conservateurs, aux chevaliers d'une opposition qui se dit prête à reprendre les rênes. Il serait temps, dans leurs interviews, leurs meetings, leurs débats, qu'ils ne cessent d'évoquer les trois paramètres essentiels du projet éducatif de demain :

— le changement radical des priorités et des orientations, corollaire de la mutation industrielle planétaire ;

— l'urgence de la polyvalence, de la formation et du recyclage permanents ;

— l'importance de la fluidité et de la créativité.

Il y a quelques mois, nombre de fils et de filles de mes amis sont descendus dans la rue, dans une tentative aussi sympathique que désespérée de se raccrocher à la limousine ébréchée de la sécurité de l'emploi. Hélas, chers petits, il est temps de se faire une raison : le charme discret des professions libérales confortables et extensibles brille de ses derniers feux. Il serait tout de même paradoxal que notre bourgeoisie, si intelligente dans le choix de ses vins et de ses mets, se mette à brûler les ordinateurs comme les ouvriers du début du siècle cassaient les machines. En vérité, ces secousses sismiques, loin de nous désespérer, devraient agir sur nous comme une bonne dose d'amphétamines. L'hyperspécialisation qui, hier encore, était l'apanage de quelques-uns, va devenir l'objectif du plus grand nombre. Avec une différence de taille : la brièveté de sa durée. Au bout de quelques années au plus, il faudra se recycler dans un autre secteur de recherches. Le cadre devra se reconvertir en chercheur. A la fois spécialisé et à l'écoute du changement, il sera en effet sollicité en permanence dans ses choix, ses responsabilités, sa vitesse d'adaptation. Le travailleur ne pourra plus s'enfermer dans l'irresponsabilité des tâches répétitives en attendant le Godot de la retraite. La robotisation, tôt ou tard généralisée, va créer un retour du sens, une nouvelle interrogation sur la place de chacun dans le groupe, la société, voire l'humanité.

La quasi-totalité des théories scientifiques modernes répercute le même message, à savoir une vision systémique du monde : « Un tout organisé dispose de propriétés, y compris au niveau des parties, qui n'existent pas dans les parties isolées du tout. Ce sont des propriétés émergentes... Or, tout système qui travaille tend... à se désintégrer lui-même. Il est donc nécessaire à son existence qu'il puisse se régénérer, en puisant à l'extérieur la matière-énergie dont il a besoin... Un système ouvert est un système qui peut nourrir son autonomie, mais à travers la dépendance à l'égard du milieu extérieur... Nous-mêmes construisons notre autonomie psychologique, individuelle, personnelle, à travers les dépendances que nous avons subies, qui sont celles de la famille, la dure dépendance au sein de l'école, les dépendances au sein de l'université... et, évidemment, les dépendances génétiques. Toute vie humaine autonome est un tissu de dépendances incroyables... On ne peut pas concevoir d'autonomie sans dépendance. » La formulation d'Edgar Morin[1] nous paraît bien caractériser la situation de mouvement perpétuel et d'alternance ordres/désordres qui est la base du devenir humain ainsi que — sans tomber dans le piège de l'analogie gratuite — du devenir social. D'où la vétusté proprement hallucinante de la pensée et de l'action politi-

1. Intervention au Colloque de Cerisy sur *l'Auto-organisation* (Le Seuil).

ques : là où celles-ci ne voient que déterminismes, situations stables, statuts pérennes, il importe aujourd'hui de se modeler sur une auto-organisation permanente de la société.

A l'humanisme en manches de lustrine de nos bons maîtres doit donc se substituer une morale du consensus et de la convivialité. Non plus, dérisoirement, en termes de Paix et Amour, élevons des moutons et faisons de la poterie ; mais en termes de conscience d'une autonomie dépendante de l'environnement et de l'interdépendance des sujets entre eux. La période du rat aménageant toute sa vie son trou dans le même fromage est révolue.

Que doit donc faire l'école ? Susciter la passion pragmatique de la responsabilité de chacun : dans ses désirs, ses intérêts, son action. Elle doit en outre inciter à la rapidité de l'intervention, en gratifiant la spontanéité et le potentiel créatif, traditionnellement sous-employés. Pour ce faire, fournir un équipement informatique sophistiqué et un enseignement destiné à le maîtriser est une condition nécessaire, mais nettement insuffisante. Il importe non seulement de dire la vérité sur l'avenir et les changements inévitables, mais, en plus, d'outiller intellectuellement ceux qui auront vingt ans en l'an 2000. Il nous faut en effet prendre conscience que les machines, de plus en plus sophistiquées, remplaceront non seulement le labeur répétitif, mais aussi une grande partie de l'activité « logique » (le terme « logiciel » n'a pas été choisi au hasard). Les valeurs essentielles de l'entreprise humaine seront désormais la souplesse et la créativité, beaucoup plus que la mémoire et la logique. Il faudra s'y faire. Et commencer vite. En un mot, il faudra « apprendre à apprendre ». Ce qui signifie à très court terme : l'introduction massive, à l'école comme à l'université, des techniques de communication.

Le problème, en effet, pour les élèves d'aujourd'hui comme pour les entrepreneurs de demain, est non seulement d'apprendre à innover, mais aussi de savoir imposer sa création sur l'immense marché des idées que la société info-culturelle instaure. Rançon de la modernité : la création ne peut plus se dissocier de sa promotion et de sa gestion[1]. Créer implique non seulement la connaissance des processus généraux de la création, mais aussi celle des techniques les plus fines de la communication. Or, il est bien évident que cette dernière reste, dans le système éducatif, dramatiquement ignorée. Autant il est important d'aider l'étudiant à acquérir confiance en soi, autant il est nécessaire de l'aider à projeter cette confiance dans son rapport avec les autres.

Exemple pédagogique possible : enseigner aux jeunes à gérer eux-mêmes leurs études. Utopie délirante ? Que l'on en juge. Selon sa couche d'âge, chaque étudiant prendrait en charge un certain nombre de programmes modulaires mis à sa disposition. Par exemple,

1. Une partie de l'intelligentsia l'a trop bien compris, qui passe bien plus de temps à faire la publicité de ses ouvrages qu'à les écrire.

des programmes complets de géographie, d'histoire ou de littérature, seraient à sa disposition permanente sous forme de vidéo-cassettes enregistrées. Ce qui permettrait à l'étudiant de réguler lui-même l'ordre et le rythme de son apprentissage, d'évaluer ses chances en regard des critères demandés pour le passage des examens et concours, critères dont il aurait pris préalablement connaissance. Ainsi, il pourrait mettre en jeu ses capacités à rationaliser ses dons créatifs, tout comme le sportif, en vue des futurs tournois ou championnats, rationalise ses performances.

Il n'est évidemment pas question de mettre sur pied des cours obligatoires de créativité qui seraient d'emblée considérés comme des corvées supplémentaires ; mais, simplement, de communiquer les processus créatifs en organisant les conditions de leur avènement. Ce qui était quasiment impossible hier devient relativement aisé grâce au réseau informationnel, constitué par des ordinateurs individuels reliés à des banques de données. On voit, encore une fois, combien le sous-équipement de la France, dans ce domaine, est dramatique. Cela fait dix ans qu'on aurait pu — et dû — s'organiser. Que faisiez-vous aux temps chauds, plaisantes cigales de la démocratie libérale soi-disant « avancée » ?

En supprimant certains cours magistraux mobilisant la présence muette des élèves soumis à la disponibilité du maître, et en les remlaçant par des programmes pré-enregistrés qui auront fait l'objet d'un grand raffinement pédagogique, peuvent s'établir des conditions d'études fort intéressantes. Ces programmes ne seront pas vissés à des horaires inamovibles, mais gérés selon un consensus entre étudiant et professeur, le second déterminant avec le premier les handicaps et les enjeux. Que l'on m'entende bien : il serait particulièrement inepte de nier l'importance de la fonction enseignante, ou de mythologiser la communication électronique. Les effets pervers y existent aussi, et les dangers de redondance et de conformisme. Nous ne tomberons pas dans l'aberration qui consisterait à remplacer un laxisme scolaire par un laxisme informatique. De toute façon, l'étudiant qui mettrait ses cassettes sous le coude rencontrerait tôt ou tard la sanction de l'examen. Il s'agit surtout de combiner l'usage de l'ordinateur avec des séminaires, ateliers, conférences, au cours desquels l'élève en difficulté pourrait venir se ressourcer *in vivo,* au contact de l'enseignant et de ses camarades. Soulignons ici l'importance du conseiller pédagogique, à la fois possesseur d'une forte culture générale et rompu aux technologies modernes, attaché à l'étudiant, connaissant ses capacités, ses qualités, ses défauts, évaluant ses désirs et stimulant ses choix.

A l'heure où les privilèges s'écaillent, où les garanties de carrière s'effondrent, où la moitié des étudiants quittent l'université au bout de deux ans sans diplôme, où la médiocratie égalitariste érigée en système cache mal le fait que la gratuité de l'enseignement pour tous signifie simplement que les impôts des catégories modestes de la population paient les études prolongées des enfants mieux pourvus, il importe de réfléchir à toute allure sur la véritable révolution culturelle actuellement en cours, et que toute stratégie politique digne de ce nom se doit d'encourager. Il ne s'agit plus seulement de se contenter, selon la belle expression de Hannah Arendt, d'introduire les « nouveaux » dans un monde toujours plus vieux qu'eux, mais d'essayer — l'espoir fait vivre — de nous rajeunir. Nous n'avons plus besoin d'épiciers de la connaissance, mais de pédagogues ouverts sur le monde. Plus d'un modèle unique de la croissance universitaire, mais d'établissements autonomes, compétitifs, et subventionnés en partie par un système de mécénat privé, qui pourrait déduire de ses impôts les sommes ainsi allouées. Thierry Gaudin, expert au ministère de la Recherche et de l'Industrie, définissait ainsi, dans la revue *Autrement,* l'enseignement de demain :

« Il s'agirait d'instaurer un enseignement secondaire pour tous (jusqu'à 18 ans) avec des filières techniques aussi longues que les autres, et comprenant plusieurs spécialités. D'autre part, une culture générale technique dispersée dans toutes les filières, et l'organisation sur grande échelle d'une éducation de transition s'adressant aux travailleurs déqualifiés touchés par la crise. Enfin, une chaîne de télévision émettant 14 heures par jour, consacrée intégralement à l'enseignement... On peut estimer qu'au XXIe siècle, dans les pays qui n'auront pas pris cette option, la population continuera, gardiennée et conditionnée, à subir la technologie, alors que ceux qui auront misé sur l'éducation pourront espérer la recréer. »

Vous avez bien lu : une chaîne consacrée exclusivement à l'éducation et à la formation, qui existe déjà au Japon. Alors que nous en sommes à une 4e chaîne « payante » qui sera un supermarché de longs-métrages « populaires », au lieu de devenir un outil essentiel entre les mains des associations, des entreprises et des créateurs. Je n'ai pas une sympathie particulière pour Didier Motchane, et encore moins pour les idées du CERES ; mais comment ne pas lui donner raison quand il dénonce l'imbécillité d'un projet qui va consister à faire, de ce qui pourrait être une nouvelle et précieuse source d'information-formation, un champ d'épandages de navets d'importation ?

Suggestion gratuite et courtoise d'un opposant de bonne foi aux princes qui nous gouvernent : et si vous faisiez de cette 4e chaîne la station éducative dont j'espère avoir montré l'urgent besoin ?

CHAPITRE IX

Investir dans le risque

A mesure que nous avançons dans l'esquisse des chemins d'une renaissance française, un doute peut traverser le lecteur le mieux intentionné : la planète informationnelle sera-t-elle véritablement conviviale et libératrice ? N'y a-t-il pas danger que les multinationales s'en emparent, monopolisant le marché au service exclusif de leur clientèle ? Certains le pensent, qui envisagent une mainmise sur la transmission et la distribution de l'information par les grands trusts modernes, ce qui aboutirait à une version « douce » de ce qui se passe dans les pays de l'Est, où l'information est serve, captive, officielle. IBM, par exemple, ne pourrait-elle pas mettre sur satellites ses banques de données, échappant ainsi au contrôle territorial des Etats, et servant qui bon lui semble en fonction des impératifs immédiats de son marché ?

Cette possibilité existe, mais elle nous paraît hautement improbable. La société d'infoculture échappe aux rigueurs de l'investissement à court terme, jusqu'ici inévitables. La lourdeur des matériaux, la pesanteur de l'organisation, la lenteur des transmissions réduisaient d'autant le goût du risque : nous avons suffisamment dénoncé cette race de patrons pleureurs et froussards qui ne quémandaient l'aide de l'Etat que pour investir le moins possible dans leurs entreprises, et le plus possible dans leurs terrains à bâtir, pour qu'il soit nécessaire d'y revenir ici. Profits maxima, risques minima : telle était la règle en période de croissance, règle désormais modifiable par la nature complexe des informations traitées. Grâce à l'ordinateur, les risques peuvent être mieux contrôlés, le projet « simulé », le programme plus précis quant à ses exigences. D'ici une dizaine d'années, l'idée innovatrice la plus farfelue pourra être étudiée avec autant de précision qu'un plan d'épargne-logement...

Nous avons besoin de créativité. Or, les psychologues du comportement ont clairement mis en évidence qu'il n'y a de création que dans le plaisir et le gaspillage. Pour tomber sur la bonne idée, combien de projets semés à tous vents ! Entre le projet et sa réalisation existent des sas exploratoires. Dans la société de production-consommation, cette phase exploratoire nécessitait beaucoup de temps (donc beaucoup d'argent) en raison de la lourdeur des technologies utilisées. Ainsi, un bureau d'études industrielles consacrait le plus clair de son temps à l'élaboration de plans dessinés à la main, auxquels il fallait consacrer des jours. Le concepteur attendait, l'exécutant œuvrait, les retards s'accumulaient. Le modèle informationnel modifie complètement ce rapport. Le concepteur nourrit directement la machine qui simule en trois dimensions les données tracées qu'on vient de lui transmettre. La rapidité de l'exécution n'a d'égale que sa précision mathématique. Ainsi, le créateur-concepteur contrôle de bout en bout son projet. Qui ne voit la valeur ajoutée de ce processus, sur le plan de l'encouragement à l'initiative ? Il sera plus facile d'investir, parce que le résultat sera « vu » d'avance.

L'exemple de la Silicon Valley, en Californie, éclaire bien ce nouvel état d'esprit. Là se sont développés des groupes de « venture-capitalists » qui ont engendré, en quelques années, des millionnaires en dollars d'à peine plus de vingt ans... Il s'agit de personnes investissant de l'argent à long terme dans des entreprises à hauts risques, mais avec une forte chance de rentabilisation. Les sociétés de « ventures » opèrent comme les producteurs d'un film de long métrage : ils sont à la fois agents, relations publiques et organisateurs, mettant en relation inventeurs, industriels, investisseurs et décideurs. Ils suscitent des réunions où les personnes intéressées étudient le projet, programment une simulation de marché, établissent une évaluation de devis. Les petites machines à informer permettent évidemment d'accélérer le processus. Ainsi, un ingénieur de Santa Barbara rêve de la folle tentative d'Icare et découvre, dans les bandes dessinées de Flash Gordon, le modèle qu'il cherchait. Un investisseur de New York s'intéresse à son projet : la société de « ventures » prend contact avec un producteur de Silicon Valley qui, à son tour, découvre une usine en difficulté au Canada, dans la région de Toronto, laquelle, intéressée, se déclare capable d'assumer la fabrication. Résultat : la formidable aventure des ULM, les Ultra-Légers Motorisés, dont le succès mondial n'a pas besoin d'être décrit !

Une idée, un mythe, un petit groupe, une démarche en réseau, une simulation informatique : voilà le secret des « venture-capitalists. » Ni rêveurs ni philanthropes, ils savent que leur crédibilité est fonction de leur succès. J'étais au Québec quand un journal de Montréal a publié une extraordinaire étude portant sur l'origine des investissements « ventures » canadiens : 33 % des sommes collectées venaient des caisses de retraite, 21 % des compagnies d'assurances, 12 % des entreprises participantes, 21 % de particuliers (en majorité des femmes et des retraités !), les 13 % restants étant d'origine étrangère. Passionnante leçon : ces aventuriers modernes s'étaient passé des banques, ainsi que des grands trusts multinationaux : ni IBM ni Chase Manhattan parmi les participants ! De quoi faire réfléchir les bons néostaliniens qui voient des mégamonopoles partout.

Dans une société cheminant inéluctablement vers l'automatisation, tous ceux qui s'impliqueront dans les processus de création auront leurs chances. Le statut social, les relations, l'argent verront leur rôle, bien que toujours présent, aller en diminuant. Pour une bonne raison : seule la capacité d'innover permettra aux entreprises de rester performantes et compétitives.

Où sont, en France, les équivalents des « venture-capitalists » ? Notre pays fourmille pourtant de jeunes entrepreneurs dans les domaines les plus divers, que l'on commence certes à encourager : l'Agence nationale pour la création d'entreprises et celle qui s'occupe de la valorisation de la recherche, font du bon travail. Mais ce qui manque le plus, c'est évidemment le nerf de la guerre : l'argent.

Nous avons évoqué les difficultés administratives que rencontrent, à tous les niveaux de la paperasserie institutionnalisée, les créateurs d'entreprises ; leurs difficultés financières ne sont pas moindres, il s'en faut. Or, les banques ont peur : s'il n'y a pas de garantie possible sous forme d'hypothèque sur une usine, un terrain ou une maison, ou encore sur les machines, comment prendre des risques ? Les structures mentales, ici aussi, sont à revoir : il serait peut-être intéressant de moins regarder le passé et les relations de l'entrepreneur, et davantage la validité de son dossier. Pourquoi les prêts bancaires ne sont-ils versés qu'au bout de six mois, alors que du jour où l'entreprise est inscrite au Registre du Commerce, les ASSEDIC commencent à réclamer leur dû ? Dans une lettre au *Monde,* un banquier explique : « Avec l'encadrement strict du crédit et l'interdiction de toute concurrence, c'est la glaciation des structures acquises. La banque est la seule " industrie " dont sont fixés de l'extérieur prix " d'achat ", prix " de vente " et " quantités vendues ". Les banquiers ne se préoccupent surtout que de la collecte des dépôts, et privilégient le crédit à l'étranger, qui n'est pas encadré... Les banquiers en général, qui n'ont pas, comme les autres entrepreneurs, à se disputer les clients, mais au contraire à les sélectionner et à se renvoyer les moins " juteux ", sont incités à tout ce qu'on veut, sauf à prendre, comme on l'attend d'eux, le précieux risque industriel. » Et ce n'est pas la nationalisation du crédit qui y changera quelque chose, sauf à concevoir le rôle entièrement nouveau d'un Etat banquier : nous y reviendrons.

Mais qui ne voit qu'existe en France un extraordinaire gisement financier, que gèrent les monopoles les plus privilégiés du pays : les caisses d'épargne ? L'une des caractéristiques de l'archaïsme de la société française, c'est la méfiance des épargnants envers l'entreprise. Ils ont toujours préféré les offices, l'or, la terre, les immeubles, les emprunts d'Etat, quitte à se lamenter amèrement au moment du naufrage des emprunts russes, ou à s'inquiéter de savoir si les clauses d'indexation des emprunts nationaux seront vraiment respectées. Voici quelques extraits d'un intéressant projet de « Charte de l'épargne » rédigé par l'Union des Epargnants de France[1]. Ils montrent bien la nécessité d'une véritable info-culture, favorisant l'apprentissage du risque et de la responsabilité, de l'audace dans des projets à hauts risques et hautes rentabilités. Ces épargnants ne sont pas si loin, on le verra, de l'esprit des rêveurs de Californie devenus millionnaires en six mois, de

1. Siège social : 61, rue de Malte 75011 Paris

ces jeunes gens créant des ordinateurs individuels dans un garage pour se retrouver, en l'espace de six ans, à la tête de quatre cents millions de dollars de chiffre d'affaires et de quatre mille employés...

> « Nul ne l'ignore : les Français possèdent le premier stock d'or privé du monde. Et pourtant, ils n'en font rien. Plus de 5 000 tonnes d'or en lingots et pièces dorment dans les bas de laine des Français. Cette thésaurisation ne rapporte aucun revenu aux épargnants ni à l'Etat. Il s'agit donc d'un gel stérilisateur qui nuit gravement au pays. En effet, cette masse de métal jaune improductive correspond, au poids de l'or, à 500 milliards de francs, de quoi renouveler plus de deux fois l'équipement industriel des entreprises françaises cotées en Bourse. Voilà un trésor inemployé qui, depuis plusieurs décennies, aurait pu éviter bien des crises et empêcher la France de rétrograder dans la hiérarchie des grandes puissances mondiales.
>
> « L'Union des Epargnants de France rappelle que sans motivation pour les épargnants comme pour les entrepreneurs, l'essor du pays se trouve compromis. Ils sont tous deux les moteurs de la vie économique. Ils ont donc des droits. Il faut déculpabiliser le profit quand il est légitime. Il n'est pas normal que celui qui gagne au loto, à la loterie nationale ou au tiercé des sommes importantes, sans impôts sur la

somme perçue, ait droit à plus de considération publique que ceux qui, ayant l'esprit d'entreprise, réalisent des gains en assumant avec conscience leurs impôts.

« L'Union des Epargnants de France préconise, afin de permettre une meilleure information des épargnants, que soit rendu obligatoire, pour toutes les formes de placement, un " étiquetage " comportant des informations minimum indispensables pour faire son choix en toute clarté. L'Union des Epargnants de France suggère la création d'une " Association française de Normalisation des Placements ". Cet organisme paritaire entre les pouvoirs publics, les professionnels des placements, les épargnants, aurait pour mission d'établir des normes précises et de les faire respecter. Il est anormal que les consommateurs aient obtenu un étiquetage informatif pour les produits de consommation (jus de fruits, médicaments, chaînes Hi-Fi, appareils ménagers, vêtements, etc.) alors que le plus grand laxisme règne encore pour de nombreux produits de placement.

« Il importe de faire un effort tout particulier pour que les Français comprennent l'interdépendance entre la gestion de l'Etat (comme celle des collectivités locales), celle des entreprises et celle de l'épargne individuelle de tous les citoyens.

« L'Union des Epargnants de France suggère de rechercher des solutions qui tendraient à favoriser les donations-partages en faveur de membres de sa famille jeunes et actifs. Ainsi, on pourrait imaginer un taux de droits successoraux dégressifs suivant l'âge des bénéficiaires d'un héritage ou d'une donation. Une exonération totale des droits de succession pourrait être accordée si l'héritier a moins de 30 ans. Cela permettrait de favoriser une nouvelle génération de managers et d'éviter un certain immobilisme des patrimoines au moment où la France a besoin de mobiliser des capitaux dans des secteurs productifs.

« L'Union des Epargnants de France estime inadmissible que l'on consacre plus de temps, à la télévision, au tiercé, au loto et à la loterie nationale qu'à la bourse et à la retraite. Les 50 millions de titulaires de livret A d'épargne, les 15 millions de titulaires de contrats d'assurance-vie, les millions d'actionnaires et d'obligataires ne doivent pas être oubliés.

« L'Union des Epargnants de France réclame pour les Français une information dans tous les medias, et particulièrement à la radio et à la télévision, sur la vie des entreprises, les investissements productifs, la Bourse et les différentes formes de placements.

« L'Union des Epargnants de France insiste à nouveau sur l'urgence à faire aboutir une motion de ses précédents Etats généraux : " Les dépôts à vue sur les comptes bancaires doivent être rémunérés à un taux décent qui devra toutefois tenir compte du coût des services (chèques et opérations diverses). Il est inadmissible que le moindre découvert d'un particulier soit lourdement pénalisé, alors que plusieurs centaines de milliards de francs sont laissés en permanence dans les établissements bancaires, sans aucun intérêt. "

« L'Union des Epargnants de France propose la création d'un nouveau type de " Sociétés coopératives de Développement technologique ", avec un statut et des avantages particuliers. En association avec les professionnels du management, des problèmes financiers et des investissements à risques *(venture capital)*, ces sociétés devront être dynamisées par les épargnants eux-mêmes.

« Ces nouvelles structures se caractériseraient par une participation active des investisseurs (particuliers, pré-retraités, cadres en chômage, etc.) désirant se mobiliser pour le développement ou la création d'entreprises locales dans lesquelles ils pourraient tenir le rôle d'investisseurs et de conseillers apportant leur expérience professionnelle. Ces « Sociétés coopératives de Développement technologique » seraient orientées vers des placements à risques, de préférence dans les secteurs à haute technologie.

« L'Union des Epargnants de France considère que le succès d'un nouveau type de " Sociétés coopératives de Développement technologique " à risques, passe par une novation fiscale : le législateur devrait autoriser, pour tous, le report des pertes sur les bénéfices ultérieurs. Ce principe, qui donnerait aux particuliers une possibilité généralement réservée aux entreprises, est appliqué aux Etats-Unis depuis de nombreuses années.

« Le report des pertes sur les bénéfices ultérieurs pour les particuliers a indiscutablement joué aux Etats-Unis un rôle décisif dans l'histoire des foyers de développement et de recherche du type de " Silicon Valley " en Californie. A " Silicon Valley " sont ainsi nées de multiples sociétés-pilotes qui ont su réussir une osmose entre novateurs-entrepreneurs et investisseurs.

« Tout renouveau industriel passe par une volonté de promouvoir l'innovation et de favoriser l'imagination créatrice sous toutes ses formes.

« L'Union des Epargnants de France considère comme stérile la thésaurisation de 5 000 tonnes d'or dans les bas de laine des Français. Cette réserve improductive ne rapporte aucun revenu, ni aux épargnants ni à l'Etat. Au moment où la France a besoin d'investissements industriels, l'Etat devrait accorder une exonération et une amnistie fiscale à tous ceux qui convertiraient leur métal jaune en faveur de titres de sociétés cotées en Bourse, ou d'une augmentation de capital en numéraire d'entreprises non cotées, existantes ou à créer. »

Comment convaincre les épargnants, c'est-à-dire, tout bonnement, la majorité des Français ? Certes, la bonne santé de la Bourse prouve que les efforts du gouvernement en faveur de l'épargne, notamment celle orientée vers l'industrie, ont porté leurs fruits : les augmentations de capital se développent malgré les nationalisations ; l'épargne longue a été systématiquement avantagée ; pour la première fois en France, sa rémunération a été supérieure au taux d'inflation ; l'épargne populaire, et d'une façon générale les dépôts à la caisse d'épargne, ont été plus ou moins protégés. Mais il reste l'essentiel : mettre en contact ces épargnants et les milliers de créateurs dont les projets peuvent non seulement aboutir, mais générer des emplois. La création de canaux télévisés et de réseaux informatiques où les différents partenaires potentiels pourraient être informés des projets qui se préparent, des idées qui fusent, des regroupements qui s'amorcent, permettrait l'éclosion de petites « Silicon Valleys » à la française. A l'Etat de jouer.

Car cet Etat que nous accusons aujourd'hui de tous les maux, au lieu d'encourager le goût du risque et l'esprit d'aventure industriel, fut, par nos soins, une belle et chloroformeuse nounou pour nos entreprises. En mars 1983, la revue de Raymond Barre, *Faits et Arguments,* publia un dossier intitulé : « Les entreprises françaises depuis 1981 : l'essor brisé. » Ce dossier montre que la compétitivité des entreprises a diminué, que leur situation financière s'est détériorée, que la situation commerciale de la France dans le monde a décliné. Et avant 1981 ? Eh bien, affirme *Faits et Arguments,* « une politique cohérente de développement industriel a permis le renforcement de notre appareil productif : action de renforcement de l'ensemble des entreprises, action spécifique de développement technologique ». Tout cela paraît bel et bon. Mais Raymond Barre connaît mieux que moi le rapport Hannoun, du nom de l'inspecteur des Finances qui fut chargé d'enquêter sur l'utilisation des aides publiques aux grands groupes industriels, de 1972 à 1977 inclus. Tous nos fleurons y figurent, y compris évidemment les futures « nationalisées » : Alsthom, CGE, Michelin, Dassault, Empain, Thomson, Peugeot, Citroën, C II Honeywell, Rhône-Poulenc, SNIAS, Saint-Gobain, Elf-Aquitaine, CFP, Denain, Longwy, Péchiney-Ugine-Kuhlmann. La quasi-totalité de l'infrastructure industrielle française fut ainsi examinée à la loupe. La conclusion du rapport (resté jusqu'ici confidentiel) est accablante. La voici :

> « I. Le constat qui vient d'être dressé est préoccupant, moins pour des raisons étroitement budgétaires (coût des aides pour les finances publiques) que parce qu'il révèle une rentabilité insuffisante des principaux groupes industriels producteurs de gros biens d'équipement :
>
> ● Les groupes Thomson-Brandt, CGE, C II-Honeywell Bull, Alsthom Atlantique,

Empain Schneider, Dassault et SNIAS captent à la fois la plus grande part :

— des soutiens accordés par les acheteurs publics (Défense nationale, Postes et Télécommunications, EDF, SNCF...) notamment sous la forme de marchés d'études et de marges d'études libres ;

— des aides sectorielles (électronique professionnelle civile, composants, informatique, instrumentation scientifique et médicale, aéronautique et armements complexes, construction navale) consenties sous la responsabilité technique des Ministères de l'Industrie (DIELI), des Transports (Aviation civile et Marine marchande), et de la Défense nationale ;

— des aides à l'exportation (garantie du risque économique, crédits bonifiés, prêts du Trésor sur protocoles intergouvernementaux) attribuées par les directions relevant du Ministère de l'Economie.

Ces six groupes industriels cumulent ces trois catégories d'aides, dont ils sont les principaux bénéficiaires, dans une très grande opacité administrative.

• *Ils mobilisent près de 50 % des aides publiques à l'industrie.* Or, ils représentent globalement :

— moins de 10 % des effectifs employés dans l'industrie (8 à 9 %) ;

— moins de 10 % de la valeur ajoutée de l'industrie (8 à 9 %) ;

— moins de 2 % des investissements productifs ;

— environ 11 % des exportations de biens industriels ;

— un peu plus de 30 % des dépenses de recherche-développement engagées dans l'industrie en France.

● Pour ces six groupes, les concours publics, dispensés à travers de multiples canaux, représentent un pourcentage déterminant de la marge brute d'autofinancement.

Dès lors, les concours publics se substituent à une rentabilité intrinsèque, l'incitation à contenir l'évolution des prix de revient s'émousse, les comportements de gestion et finalement la stratégie même de ces groupes tendent à être conditionnés par les aides publiques. L'aide permanente à l'exploitation l'emporte sur l'aide au développement.

II. L'appareil administratif de distribution des aides ne paraît pas, en son organisation actuelle, en mesure de mener une politique qui stimule la compétitivité et la rentabilité de ces groupes, en s'appuyant sur le levier privilégié que constituent les concours massifs consentis par l'Etat.

Les raisons en sont connues. Elles sont exposées dans la note établie à la demande du Premier ministre par M. Nora, Inspecteur général des Finances : absence de contreparties et automaticité de l'octroi des aides ; extrême cloisonnement des administrations habilitées à les dispenser ;

fractionnement des procédures en examens successifs d'opérations (de recherche, d'investissement, d'exportation...) sans prise en compte de la situation d'ensemble des entreprises aidées, a fortiori des groupes auxquels elles sont affiliées; mauvaise connnaissance des groupes industriels; absence de globalisation des aides.

Actuellement, la politique d'aide à l'industrie est essentiellement une politique d'opérations, rarement une politique d'entreprise, jamais une politique de groupe.

L'ensemble des mesures proposées dans le présent rapport va dans le sens de la reconnaissance du groupe comme l'un des niveaux de la politique d'aide à l'industrie, ce qui suppose une adaptation progressive de l'appareil administratif de distribution des concours publics et, en premier lieu, l'existence d'une cellule de centralisation des aides consenties aux principaux groupes industriels. »

On le voit : l'auto-satisfaction affichée par *Faits et Arguments* ne correspond pas, loin s'en faut, à la réalité que nous vécûmes il y a quelques années. Soyons francs : nous les avions déjà nationalisés, ces groupes industriels ! Les socialistes n'ont fait qu'entériner une situation de fait (maladroitement, mythologiquement, alors qu'il suffisait de contrôler à 51 %). Comme l'a si bien écrit l'*Economist,* les barbus n'ont fait que nationaliser nos erreurs. Le secteur public français est devenu le plus important en Europe, en valeur absolue comme en valeur relative — hormis le cas de l'Autriche. Le fardeau est lourd : les subventions à la SNCF, aux Charbonnages et à la Chimie atteignent 50 milliards de francs, soit 5 % du budget total de l'Etat. On peut mesurer l'importance de ce chiffre quand on sait que le montant total des investissements industriels des entreprises françaises s'élève à ... 75 milliards.

Dans le même temps, il nous plaît de constater les efforts désespérés des socialo-communistes pour limiter le nombre des chômeurs, hantise permanente des obsédés du « social ». On traque les ressources monétaires, les crédits en devises, les rachats d'encadrement, on saigne les banques : les bénéfices de celles-ci ont diminué de 6 % en 1982, pour la deuxième fois depuis trente ans ; la baisse avait été de 24 % en 1974, après le premier choc pétrolier. Les banques, en 1982, ont dû en effet consentir deux cents milliards de crédits supplémentaires aux entreprises, au lieu des soixante-cinq milliards autorisés par la Banque de France.

Situation absurde, directement générée par la mentalité tout-étatiste qui sévit depuis vingt ans. D'un côté, on subventionne, on augmente les cotisations à la charge des salariés, on stabilise la ponction sur les entreprises au bénéfice de la Sécurité sociale, on allège la taxe professionnelle, on encourage le crédit. Mais on ne parvient pas à éliminer les causes de la dégradation de l'autofinancement desdites entreprises :

a) la forte croissance des cotisations sociales :

15 % de la valeur ajoutée en 1974, 18,3 % en 1980, 19,1 % en 1982 ;

b) la progression de la part de la rémunération des salariés, qui a augmenté de près de 2 points de 1974 à 1981 (même si elle a légèrement régressé en 1982) ;

c) le poids des charges financières. De 1960 à 1978, le coût du capital était nul, voire négatif, en vertu de l' « effet de levier » : plus l'endettement de la firme était haut, plus le profit était élevé. Depuis quelques années, au contraire, le coût du capital est devenu exorbitant, le taux d'intérêt réel étant désormais de 6 à 8 points. Il en résulte une ruine des comptes d'exploitation — les charges d'intérêts ont progressé de 32 % en 1980 et de 23,8 % en 1981 —, l'abandon de tout investissement futur, une aggravation de l'endettement des entreprises : en 1980-81, l'endettement à court terme des sociétés privées a augmenté de plus de 42 %. Les entreprises nationales sont les plus touchées par ce gonflement de l'endettement : la part des intérêts versés sur la valeur ajoutée de ces entreprises est passée de 7,4 % en 1974 à 17,2 % en 1982, compte tenu de l'importance des travaux financés sur emprunts (exemples : centrales nucléaires, TGV...) dans la période 1974-1982.

C'est clair : gauche et droite confondues ont, depuis dix ans, préféré augmenter les salariés plutôt que de stopper la chute des profits des entreprises. Il est intéressant de noter que celles-ci ont payé, en 1982, plus de six cents milliards en impôts et cotisations sociales, c'est-à-dire 1/5 du Produit National Brut. Mais il faut préciser que 10 % d'entre elles ont assuré à elles seules 85 % de l'impôt ; que les entreprises les plus imposées sont celles qui ont les charges salariales les plus fortes, et le moins de frais financiers ; et qu'évidemment les sociétés constamment rentables du point de vue de l'impôt sont celles qui croissent le plus vite, embauchent et investissent le plus.

Dans la longue chronique conjugale liant pour le meilleur et pour le pire l'Etat et les entreprises, nous avons suivi les glorieux préceptes de Ionesco : nous avons caressé le cercle, il est devenu encore plus vicieux. Que demandent par exemple les jeunes entrepreneurs de vingt-cinq ans ? Une exonération momentanée des charges sociales dont on pourrait envisager le remboursement sur deux ans ; l'institution d'un délai pendant lequel la nouvelle entreprise pourrait licencier si elle se trouve en difficulté. Détail : « Quand on crée son entreprise, au sortir d'une grande école par exemple, on a rarement fait son service militaire[1]... »

Charges, taux d'intérêt, encadrement du crédit, secteurs condamnés, nationalisations coûteuses, appareils industriels à rénover, spirales perverses du chômage et de l'inflation : flottant sur ce paysage accidenté, le brouillard des incertitudes, l'absence de dessein précis et formulé, et, surtout, de circuits essentiels de communication.

Alors, que faire ? Parler. Multiplier les cercles de qualité, les conseils d'ateliers, ou tout autre

1. *Autrement,* « Avoir vingt ans et entreprendre ».

instance dans laquelle patrons et ouvriers, administrateurs et administrés, enseignants et enseignés, pourraient communiquer vraiment, ce qui ne peut se faire dans les grands meetings officiels, super-spectacles aménagés seulement pour se convaincre soi-même de sa propre existence. Apprendre à se connaître, à casser les images mentales et les préjugés traditionnels, à s'affronter sur des objectifs précis, dans un processus de responsabilisation accrue. Il est tout de même aberrant que dans la majorité des cas, chefs d'entreprises et syndicalistes se comportent exactement comme s'ils étaient, les uns Israéliens, les autres Arabes ; nous n'avons plus les moyens de nous payer des guerres du Kippour quotidiennes dans tous les établissements de France et de Navarre !

Répétons aux partenaires sociaux ces quelques vérités premières : il n'y a pas de solution étatiste à la crise, le colbertisme doit mourir, et le plus tôt sera le mieux ; il ne faut plus seulement s'attacher à ce qui est grand, mais encourager de plus en plus la petite entreprise ; il vous faut cesser de vous adresser à l'Etat à tout moment, et vous entendre entre vous sur les problèmes à résoudre. Voilà pourquoi les syndicats ouvriers ont intérêt à voir exister, face à eux, une représentation patronale forte et lucide et non un CNPF exsangue et pleurnichard. Car il ne suffit pas, mes chers compagnons, de dauber sur la gauche et ses échecs : il faut aussi en finir, au nom de notre intérêt bien compris, avec un patronat de droit divin, paternaliste et autoritaire, qui ne pense qu'à réduire les coûts de production en employant des ouvriers déqualifiés qu'il paie mal. J'exagère ? Le coût de la main-d'œuvre française (charges sociales comprises) demeure de 30 % inférieur à celui en vigueur aux Etats-Unis, et de 11 % à ce qu'il est en République fédérale allemande ! Nos concurrents ne s'en plaignent pas. Il faut en finir avec des syndicats qui pratiquent la lutte des classes comme des bigotes rancies pratiquent la charité à la sortie de la messe : litanies obsessionnelles masquant de plus en plus mal un corporatisme qui n'a plus de raison d'être. Plus que jamais, les nouvelles stratégies de la société info-culturelle doivent irriguer les forces vives de la société française : cybernétique, métaphore, maïeutique et séduction. Il importe de susciter des confrontations qui reposent sur la conflictualité et non sur la pulsion de mort : l'objectif est de faire bouger l'autre, pas de le détruire.

CHAPITRE X

L'État séducteur

A l'Etat de jouer, avons-nous dit. Nous ne pouvons plus nous offrir l'Etat-nourricier ; l'Etat fantomatique des ultra-libéraux est une aimable plaisanterie. Ce que nous voulons ? Un Etat formateur-informateur, banquier, metteur en scène et séducteur.

Dans vingt ans, les polémiques de café du commerce entre socialistes et libéraux, qui alimentent presse et télévision en petites phrases, renvois aigres et flatulences incongrues, seront reléguées au magasin des accessoires soldés. Contrairement à ce que pensent les bouledogues baveux de la majorité et de l'opposition qui n'ont que leurs injures dignes de l'almanach Vermot à se mettre sous le croc, il n'y a pas opposition fondamentale entre libéralisme et socialisme, mais une complémentarité dialectique qui fut au cœur de l'accouchement des démocraties modernes. Le libéralisme fut le moteur de l'expansion capitaliste et de la croissance, qui apporta incontestablement un mieux-vivre généralisé, malgré les inégalités conservées ou engendrées ; le socialisme, en revendiquant sans trêve le droit à l'égalité et l'amélioration des conditions de vie et de travail, aura joué un rôle d'indispensable aiguillon. L'Occident a besoin d'une nouvelle vision de son Histoire, qui ne soit plus frappée au sceau de ce manichéisme primaire qui empoisonne littéralement les têtes les mieux faites. Ce sont là évidences que l'on rougirait d'évoquer si leur rappel n'était rendu nécessaire par l'insupportable misère du milieu politique.

Les socialistes les plus obtus ont désormais compris que l'égalité n'existe pas, hormis dans la mort ; que la notion de justice réside dans le fait de permettre au plus grand nombre d'accéder aux mêmes possibilités d'entrée dans la vie, ce qui est déjà un travail d'Hercule. Le nivellement, sauf à engendrer un sous-développement accéléré, ne peut se concevoir que comme une égalité de Droit. Celui de satisfaire non seulement ses besoins *fondamentaux* (la faim, la soif, le logement, les soins, le minimun vital) mais aussi ses besoins *essentiels,* que les années de l'expansion ont établis au premier rang des priorités : émotion, création, jeux, désirs. Les premiers forment le dénominateur commun de l'humanité, les seconds sont évidemment variables, en fonction des cultures et du niveau de développement. « Liberté, Egalité, Fraternité » demandaient les sans-culottes de 1789. « Paix et Pain », réclamaient les bolcheviks d'octobre 1917. « Croire à la réalité de ses désirs », pouvait-on lire sur les murs de mai 1968. Apparaît, dans ce dernier slogan, un ordre nouveau de revendications qui va se développer à une vitesse étonnante et qui surgit aujourd'hui au cœur de toutes les discussions concernant le travail dans l'entreprise, les rapports entre décideurs et « subjugés », entre ceux qui savent et ceux qui voudraient savoir.

Libéralisme et socialisme peuvent donc s'imbriquer sans honte à l'aube de cette société info-culturelle dont l'économie a désormais pour principal capital la « ressource humaine ». Mais celle-ci est essentiellement basée sur le don créatif. C'est dire que nous ne pouvons nous passer d'élitisme : telle personne n'a pas forcément les mêmes dons que telle autre. Le concept d'être « doué » implique nécessairement l'élitisme de son don : voilà pour le libéralisme. Mais la société doit permettre à *tous* les dons de s'épanouir : voilà pour le socialisme. Elitisme et pluralisme relèvent fondamentalement de la même démarche, et ne se peuvent ni ne se doivent séparer.

Cette créativité des individus, présentée de plus en plus comme seule garante de l'avenir, est en fait un subtil dosage entre l'inné, l'acquis, et... le hasard. Ce hasard constitue justement l'un de nos points d'intervention possible. Que sont les « capitalist-ventures » que nous avons évoquées, sinon les organisatrices d'un « hasard » réunissant inventeurs, producteurs et financiers dans une entreprise commune ? S'esquisse ainsi l'une des principales tâches de l'Etat informé-informateur. Il aidera à constituer des fichiers, des banques de données, des réseaux de connexions qui permettront, voire susciteront la créativité de tous ceux qui ont la rage d'entreprendre. L'aménagement de cet espace informationnel se situe logiquement à la charnière des deux idéologies opposées. Au libéralisme, la société info-culturelle emprunte l'esprit de la libre entreprise et de l'Etat non plus garant, mais gérant, qui laisse aux collectivités le soin d'aménager leurs responsabilités ; du socialisme, elle reprend à son compte l'égalité des chances, la formulation des règles du jeu, des droits et devoirs des entrepreneurs. Le parti de Lionel Jospin a oublié Saint-Simon qui évoquait prophétiquement la créativité comme outil économique du progrès ; et Fourier, qui avançait la dynamique des passions comme premier moteur économique : les utopistes d'hier peuvent s'avérer parfois les réalistes d'aujourd'hui.

Le premier trait du grand dessein de Renaissance, c'est donc l'apprentissage et du devoir et de la responsabilité, apprentissage qui n'aura rien de rébarbatif, puisqu'il s'inscrit dans le grand jeu de la société d'information et de participation.

Le second trait du grand dessein, c'est que le principal rôle de l'Etat sera désormais d'offrir aux désirs les moyens de s'exprimer. L'Etat sera susciteur de passions, éveilleur d'intérêts, conteur, mais aussi confident, grâce à l'effficacité de ses réseaux électroniques.

Sans masochisme excessif, il sied, sur ce terrain, de faire notre mea culpa. Nous avons joyeusement occulté, en effet, le désir d'expression d'un nombre fort important de nos administrés : au vrai, ce fut le cadet de nos soucis. Et pourtant, une connaissance primaire de la psychologie des foules montre bien que la frustration est mère nourricière de tous les affrontements, ainsi que des votes négatifs dans les urnes du destin. Nous en avons fait l'amère expérience ; la gauche, à son tour, connaît les lendemains électoraux qui grincent quand l'espérance n'a pas été comblée.

La société info-culturelle, il n'est que de se rendre à la FNAC pour la rencontrer. On y trouve toutes les classes d'âge, tous les styles, tous les extrêmes, du crâne rasé à boucle d'oreille et « santiags », au respectable vieillard à rosette et cheveux blancs. Ici, plus d'uniforme en complet gris, plus de modèle standard : les vêtements, comme la musique, comme l'art, comme le théâtre, sont chatoyants et pluriels, métissés et éphémères. Ce plaisir de se montrer, d'exhiber ce que les Américains appellent si judicieusement son « look », est vieux comme le monde. Les guerriers se peinturluraient le corps avant de partir à la bataille, les femmes se paraient aux couleurs de l'eau... Aujourd'hui, tout le monde réclame — et se donne — le droit à cette expression immédiate. Le plaisir de montrer son corps, ses vêtements ou son maquillage procède d'un besoin fondamental de dire... et de *se* dire. Nous devons prendre clairement conscience de ce désir dans nos futures stratégies. De la guérilla en rizière aux joyeux batifolages de la chambre à coucher court la même revendication : celle de l'être et de l'avoir. L'expression, la passion, la possession deviennent des droits légitimement revendiqués. A tort ou à raison, la personne est en train de devenir le centre du monde : se donner à voir, recevoir des sensations, « brancher » ses émotions — ce n'est pas une révolte, Sire, mais une révolution. La nouvelle société qui jaillit dans nos vieux pays d'Europe désire la pluralité de ses paroles et ses images. Elle ne peut plus se satisfaire de la démocratie électoraliste des urnes, ou statistique des sondages. Ignorer ce besoin essentiel d'une parole vive et complexe, négliger l'équipement informationnel de la France en maintenant le pays dans son sous-développement télévisuel et en restreignant le droit de créer des réseaux audiovisuels privés dotés des moyens de vivre, constitue une erreur stratégique sans précédent. Nous avons commis l'absurdité de conserver le monopole en plaçant les chaînes télévisées sous contrôle permanent et, pour les radios, en limitant l'accès à la publicité à trois stations périphériques. La gauche fait la même erreur, alors que dans la seule région de Montréal, 72 canaux fonctionnent simultanément, ce qui n'empêche pas la télévision nationale canadienne de faire de remarquables campagnes d'information nationales ! Notre ligne Maginot est l'une des 819 qui parcourent le petit écran. Ne commettons plus de bévues aussi incomparables que celle des archers anglais à Azincourt, que l'ignorance compréhensible mais fatale du général de Gaulle vis-à-vis de la génération du désir, ou que l'incroyable négligence de Giscard envers l' « informatisation de la société » — objet d'un rapport qu'il avait pourtant lui-même commandé...

Selon l'expression d'un peintre américain, chacun a été, est ou sera une star, ne fût-ce qu'un quart d'heure dans sa vie. Il en est peu qui échappent à ce désir, à ce trac fou, à ce plaisir intense de communiquer, d'être compris, aimé. Croyez-vous vraiment que nous soyons les seuls à vouloir séduire, convaincre et parader ? Avouons-le franchement : la tribune audiovisuelle ouverte peut être une arme beaucoup plus efficace, en guise de défouloir socio-culturel, que la brioche de Marie-Antoinette. Cynisme facile mis à part, l'établissement d'un gouvernement de « transparence » est la nécessité des années à venir. Nous pouvions nous permettre, étant les détenteurs légitimes d'un pouvoir conquis à la hussarde en 1958, de faire comme si les outils d'information électroniques relevaient du domaine réservé. Les socialistes, que nous traitons légitimement comme s'ils ne faisaient que passer, comme s'ils étaient la parenthèse nécessaire à notre longue marche vers une France radieuse, se crispent farouchement sur ce domaine de l'héritage — comme sur bien d'autres, d'ailleurs. Ils ont tort. Une fois tolérées les radios libres, une fois admis le principe de la pluralité d'expression hertzienne, rien ne pourra plus arrêter l'escalade de la demande. Le pauvre Fillioud s'en aperçoit chaque jour. C'est ainsi que nous pouvons nous donner à bon marché le luxe de dénoncer des atteintes à la liberté d'expression dont, il faut bien le dire, nous nous fichions superbement lorsque nous étions aux affaires. Billevisées que tout cela ; aujourd'hui, la cité planétaire exige l'accélération exponentielle du réseau informatif.

Quels seront donc les nouveaux devoirs du Prince de l'Etat info-culturel ? Il ne pourra plus jamais être enfermé dans un bureau solitaire d'où partiront des décisions sourdes et aveugles. Il sera acteur sensible aux émotions de son public, metteur en scène apte à gérer les grands élans populaires et à montrer de la façon la plus attrayante possible les nouvelles visions de l'avenir. Il devra être en phase avec les désirs d'un peuple qui se transforme à toute allure. Et sur tous les plans. L'une de mes collaboratrices fait du jogging, aime Chirac parce qu'il a fait planter de beaux arbres dans sa rue, monte jusqu'au pied de l'Annapurna avec « Forum Voyages », et conserve les photographies prises avec son mari à la Bastille le 10 mai 1981. Les blocs se fissurent, les icebergs fondent : la gauche citait Jaurès et Zola, la droite ne jurait que par Barrès et Maurras, le prolétariat réaliserait le genre humain, le capitalisme mourrait de mort violente, le Tiers-monde reprenait le flambeau de la lutte finale. Aujourd'hui, le temps de l'incertitude triomphe avec celui de la complémentarité. Principe d'incertitude et loi de la complémentarité font partie des découvertes les plus importantes de la physique moderne. Nous avons, en ce domaine, bien des leçons à prendre, et d'abord en nous débarrassant des démagogies bassement populistes qui consistent à dresser, comme des chiens, les Français les uns contre les autres. Exclure l'Autre, sous prétexte qu'il est différent, n'est pas repréhensible en raison de je ne sais quel humanisme abstrait, mais à cause de l'importance de cet Autre dans les nouveaux enjeux économiques auxquels nous sommes confrontés. Nous avons mieux à faire.

Et d'abord écouter et informer. Nous savons très bien qu'aucune solution-miracle ne nous fera retrouver la croissance et le plein emploi, partis sans laisser d'adresse. Aucun homme politique ne peut plus raser gratis, aucune promesse de rétablissement rapide et général ne peut désormais être tenue.

Imaginons pourtant une chaîne télévisuelle d'Etat qui fonctionnerait comme un cahier national de doléances et de suggestions. La Chaîne Blanche, comme on parle d'un Livre Blanc. Celle-ci permettrait de connaître à tout moment l'état d'esprit des citoyens, de négocier spectaculairement certains virages, d'animer une information qui soit également formatrice de nouveaux comportements, en rupture avec les réflexes d'angoisse et de peur. La Chaîne Blanche serait à la disposition du public. Elle diffuserait des émissions coproduites par les téléspectateurs, aidés par des techniciens professionnels. Exemple : une coopérative agricole désire réaliser une émission d'information sur un procédé qu'elle a découvert. Elle envoie un descriptif détaillé à la direction de la chaîne. Celui-ci est étudié, sélectionné et transformé en film. Avec l'aide d'un réseau télématique et d'un standard adéquat, les groupes et associations pourraient non seulement s'exprimer sur l'écran, mais surtout disposer d'espaces de contact permanents : les « capitalist-ventures » à la française pourraient ainsi se créer autour de réseaux d'information dotés d'un numéro de téléphone que tous pourraient appeler : artisans, entrepreneurs, techniciens, ingénieurs, inventeurs, tous ceux qui sont en quête de moyens d'information ou de techniques nouvelles.

Exemple : trois jeunes filles veulent monter un restaurant sur une péniche, et ne s'adresser qu'à des groupes qui organiseraient des mariages, des banquets, des séminaires et qui loueraient la péniche à la journée, en précisant l'endroit de leur choix sur les quais de la Seine et le temps de promenade désiré. Les trois jeunes filles demandent à disposer d'un terminal qui les relierait en permanence au réseau télématique de la Chaîne Blanche. On voit tout de suite l'énorme avantage de celui-ci : la population est dotée d'une banque de renseignements sans limite, et la qualité informationnelle de la chaîne en fera, à terme, l'une des plus regardées. Evidemment, dans les spots d'annonces et de contacts, n'apparaîtront que les demandes qui n'auront pas été satisfaites par la banque de données. Le réseau peut, en outre, permettre aux jeunes entrepreneurs un premier examen des éléments juridiques du projet, une simulation sur ordinateur du marché potentiel par rapport aux coûts et aux bénéfices escomptés...

Double avantage pour l'Etat : avoir une

vision des désirs et des aspirations des Français les plus dynamiques autrement plus nette et étendue que le meilleur des sondages, et la possibilité d'intervenir à tout moment pour encourager tel ou tel projet, infléchir telle ou telle tendance, réguler telle ou telle contradiction. Et si des milliers de Français trouvent qu'une chaîne ne suffit pas, qu'ils n'arrivent pas à faire passer leurs messages au-delà du réseau télématique, qu'à cela ne tienne : ils créeront leur propre canal, quitte, là encore, à ce que l'Etat empêche les trop grands déséquilibres. Ne jamais oublier que l'un des devoirs du Prince de la société info-culturelle est de persuader les citoyens de la nécessité de s'autocontrôler, tout en leur donnant l'impression qu'ils jouissent d'une totale liberté d'action. Nous ne ferons jamais trop attention à ces choses-là.

Arrêter de pleurer, de se complaire dans des bouffées de haine asséchantes et des solitudes harassées, cesser le culte du négativisme ricaneur, essayer de construire, dans sa vie, dans son métier, dans son environnement immédiat, des espaces de désir et d'autonomie : qui ne voit que ces sentiments traversent actuellement une bonne partie de la jeunesse française ? Qui ne voit l'importance de donner à ces envies un cadre, une structure, des moyens ? Avec l'outil informationnel de la Chaîne Blanche, flanquée de son réseau de données, l'Etat est à même d'agir. Il peut évidemment utiliser la Chaîne pour faire passer ses propres informations, ses prises de position, ses orientations sur les grands débats qui agitent notre pays. Là aussi, l'archaïsme de certaines structures mentales vis-à-vis du village « global » est patente : il ne suffit pas en effet du visage rond de Pierre Mauroy ou de la physionomie grave d'un ministre pour faire « passer » les hausses des cotisations sociales, les nouveaux impôts, les nouvelles lois sur la sécurité ou sur l'enseignement. Si l'on ne sait comment communiquer tout cela, à l'ère électronique, on change de métier. L'homme d'Etat, éducateur et thérapeute, séducteur et maître de ballet, sait que l'informatisation de la société implique une révision radicale de son statut. Il a à sa disposition, pour influer sur les citoyens-téléspectateurs, des outils conceptuels qui ont fait leurs preuves. Visant le consensus, il doit se perfectionner dans les subtiles techniques de la thérapie brève, de la maïeutique et de la métaphore. L'outil informatique et vidéomatique n'est rien s'il ne véhicule des comportements d'autorité à la fois subtils, pédagogues et symboliques. Le pouvoir médiatisé doit avoir, aux yeux des masses, l'attrait qu'ont les jeux vidéos auprès des enfants...

La « thérapie brève » est une méthode développée par l'école de Palo Alto[1]. Elle vise à provoquer le débloquage d'un comportement névrotique, à amener à une conscience claire du problème par un choc psychologique. Il est aisé d'en déceler les applications sur le plan social. La hausse brutale du prix du pétrole en 1973 a fait comprendre à l'Occident, mieux que n'im-

1. Sise en Californie.

porte quelle analyse politique, sa dépendance vis-à-vis des pays producteurs. Le plus important ici, c'est l'effet de choc, la surprise, le coup qui prend à revers et laisse pantois devant la clarté de la révélation. Le Général de Gaulle fut, à sa manière, un orfèvre en la matière. Que fut donc, en effet, l'appel du 18 juin 1940, sinon une gifle psychique destinée à montrer aux Français qu'ils avaient encore le choix, que la Collaboration n'était pas l'unique chemin à suivre ? Autre électrochoc du sublime pachyderme, cette fois destinée à nos cousins de la Belle Province : « Vive le Québec libre ! » Tout est dit. C'est le retour, à toute allure, d'un refoulé social et identitaire sur lequel on ne peut plus désormais faire l'impasse.

Un acte exemplaire de thérapie brève aurait pu être accompli par les socialistes dès la rentrée de septembre 1981, après l'euphorie opiacée des élections présidentielles et législatives. Alors que l'opposition se relevait à peine de son knock-out, et que les Français barbotaient en plein état de grâce, Mitterrand aurait tenu devant les caméras des trois chaînes un discours churchillien, du style : « la situation est grave, la patrie est en danger, notre économie est à la veille d'une grave récession si nous ne prenons pas, tout de suite, les mesures de rigueur qui s'imposent » ; il aurait parlé de la dépendance économique du pays, de l'impossibilité de vivre toutes persiennes fermées, de la nécessité d'un consensus général pour mettre la France au travail. Aux Français avides de belles pages historiques, Mitterrand se serait posé en généreux réconciliateur, comme Henri IV après les guerres de religion, comme Louis XIV pardonnant aux « grands » de la Fronde, comme Hoche en Vendée, comme Louis XVIII avec la dissolution de la Chambre introuvable... La vérité brutale eût été ici la meilleure des thérapies, tant vis-à-vis d'une gauche encore pâmée dans les délices de la croissance, qu'à l'égard d'une droite pas encore remise de sa guerre des chefs. Point de naïveté : il est évident que nous ne nous serions jamais jetés dans les bras de Mitterrand, mais, aux yeux de l'opinion, il aurait eu le beau rôle, en faisant appel au sens civique et national et en dévaluant immédiatement le franc de 15 à 20 % pour prouver qu'il ne s'agissait pas là de propos en l'air. Dans le jeu de cartes politique, le rassemblement (l'organisation du consensus) est un joker majeur ; heureusement pour nous, le pouvoir actuel n'a pas su — ou voulu — le jouer. Il aurait incontestablement gagné du temps, sinon la partie.

Aujourd'hui, Delors se bat courageusement et arrive à obtenir de notables résultats[1]. Mais le temps du choc symbolique est passé. Un autre acte de « thérapie brève » pourrait consister à organiser une rencontre du style Grenelle 1968

1. Le quotidien britannique *Financial Times*, peu suspect de gauchisme exacerbé, a rendu, le 1er septembre 1983, un hommage remarqué à la gestion delorsienne : belles réserves de devises, sérieuse réduction du déficit de la balance des paiements, taux d'inflation à son plus bas niveau depuis dix ans, taux de chômage inchangé depuis un an ; la Bourse a monté de 40 % depuis fin 1982, et le franc n'a fléchi que de 3 % par rapport à la livre sterling depuis mai 1981. « L'homme malade de l'Europe » n'est pas sorti de l'hôpital, mais force nous est de reconnaître qu'il se bat bien.

entre tous les partenaires sociaux, non plus, hélas, pour la redistribution des bénéfices, mais pour le partage équitable de la rigueur. Bien des syndicalistes la réclament, bien des politiques y seraient prêts : il faudrait évidemment y inclure, outre l'Etat, le patronat et les syndicats, des représentants de ce tiers secteur en pleine expansion, de cette économie sociale qui détient aujourd'hui 35 % du marché de l'assurance, 30 % de l'agro-alimentaire ou 50 % de la pêche. N'exclure personne, diffuser la quasi-totalité des débats publics sur la Chaîne Blanche, susciter le « feed-back » des Français : la thérapie brève pourrait ainsi déboucher sur des effets à long terme.

Pour cela, il ne faut évidemment pas se tromper de terrain. Les barbus ont commis une thérapie brève dont les effets négatifs, bien que souterrains, n'ont pas dû être négligeables : l'instauration du contrôle des changes. Ne pas s'être rendu compte des ravages symboliques d'une pareille mesure révèle une inquiétante cécité face aux mutations psychiques de ces vingt dernières années : la planète rétrécie et familiarisée par ses réseaux de communication, l'espèce humaine considérée comme un ensemble fonctionnant par échanges d'information. A partir du moment où le monde entier est dans mon salon, il est intolérable qu'on m'empêche d'y aller voir de plus près. Comment faire comprendre — et encore moins accepter — une quelconque légitimité de la fermeture — même temporaire — des frontières à un jeune habillé de jeans coréens, chaussé d'espadrilles italiennes, qui écoute sur son walk-man japonais un disque de hard-rock américain ? Cela n'a aucun sens. A la limite, je veux bien payer tous les impôts qu'on voudra, mais j'entends utiliser à ma guise ce qu'il me reste d'argent. Au-delà des préoccupations mercantiles des agences de voyage, il est aberrant — et significatif — que la gauche ait ainsi « manqué » à nombre de ses électeurs. Insidieuse erreur de parcours : il ne faut pas toucher à l'irrésistible besoin de considérer désormais la totalité du monde comme son village natal. Au lendemain de l'instauration du contrôle des changes, une lectrice écrivait au journal *Libération :* « Je ne supporte pas de travailler sans autre perspective que le travail. » Et une autre citait un graffiti mural : « Une société qui détruit l'aventure fait de sa destruction la seule aventure possible. »

La « maïeutique », dit le Larousse, est « l'art de faire découvrir à l'interlocuteur, par une série de questions, les vérités qu'il porte en lui. » Les questions peuvent être posées directement, ou par le truchement d'un événement, d'une personne ou d'un symbole qui « fait découvrir ». Si Dieu existe, la maïeutique lui est une seconde nature : il balance une pomme sur la tête de Newton, il remplit d'eau la baignoire d'Archimède, et ces deux événements contribuent à leur faire découvrir les lois immuables du monde. Nous ne sommes pas Dieu, mais la technique peut servir. Exemple : le gouvernement canadien organise une campagne d'information destinée à prévenir contre les dangers du tabagisme des femmes durant la grossesse.

Des sondages préalables montraient que 90 % des femmes enceintes et qui avaient l'habitude de fumer continuaient à le faire... Par négligence. On avait donc sollicité les enfants, par le biais de leurs instituteurs, en organisant des enquêtes, des concours de dessins ou de rédactions, qui avaient amené les chers petits, le soir, de retour chez eux, à poser des questions, à exiger des réponses, bref, à introduire le problème dans le quotidien familial. Résultat : un an plus tard, le pourcentage de femmes déclarant ne pas s'être abstenues de fumer durant la période prénatale était tombé à 40 %... On voit ici l'avantage qu'il y aurait à provoquer sans cesse l'initiative et la créativité, le jeu et la spontanéité, qui permettraient de faire passer tel message sans que la moindre accusation de vouloir contrôler ou faire pression puisse être avancée. Dans la société info-culturelle, nous ne le répéterons jamais assez, peu importe ce qui se dit, l'essentiel est que « ça » se dise. Autour d'un projet précis, d'une question épineuse, d'un problème controversé, peuvent ainsi s'articuler les énergies de tous âges et de toutes catégories, grâce à des campagnes d'incitation habilement menées dans les écoles, les usines, les bureaux, et répercutées à chaque fois par les organes d'information : d'où encore la nécessité de les multiplier...

La métaphore politique est peut-être l'arme la plus efficace, qui permet de substituer au commandement « directif » — aux effets toujours désastreux — la suggestion séductrice par l'emploi du symbole et de l'analogie. Ces derniers temps, Mitterrand a parfaitement illustré l'exemple d'une métaphore réussie. Sa visite à la Courneuve, dans la cité des « 4000 », après le meurtre d'un enfant victime de la peur et de la rage imbéciles qu'engendrent ces cages à lapins, signait joliment une redéfinition de l'Etat, en fonction du spectacle dont il procède nécessairement en termes de rituel et de cérémonie. Mitterrand apportait là un peu de la chaleur de l'Etat : il visite un appartement, il boit la *boukha* avec une famille d'immigrés, le chef de famille prend la photo-souvenir, la télévision est là ; ainsi apparaissent simultanément la volonté officielle de se préoccuper du sort des familles les plus déshéritées, la réalité sordide de la vie quotidienne dans ces grands ensembles, la convivialité et l'improvisation. Pour une fois, Mitterrand avait abandonné sa physionomie de statue du Commandeur, et paraissait souriant, presque cordial. En même temps, il annonce que les constructions prévues pour la défunte Exposition de 1989 seront malgré tout effectuées. En une seule séquence, par l'élégance du geste, Mitterrand donne à voir un faisceau d'orientations positives. Le mythe, cher aux Mille et une Nuits, du calife qui se déguisait en mendiant afin de constater *de visu* l'état de ses sujets, n'est pas mort [1]...

Autre métaphore, qui s'est déroulée en direct au cours d'une émission de la télévision canadienne. Le Premier ministre, Pierre Eliott Tru-

1. Ses visites à BSN et à Vénissieux procédèrent de la même démarche symbolique.

deau, discutait avec un groupe de syndicalistes. Il fut, à un moment, violemment pris à partie par un ouvrier qui lui affirma que l'Etat ignorait les revendications des classes laborieuses, que la crise ne pouvait justifier les sacrifices réclamées à celles-ci ; d'ailleurs, le gouvernement fédéral était incapable de contrôler la crise, il accroissait les disparités entre les provinces, tout allait mal à cause de la crise, etc. : discours vivement approuvé par ses camarades. On attendait la réponse de Trudeau. Celui-ci, avec un sourire canaille, dit simplement : « La crise ? Voilà ce que j'en pense » : et... il fit un bras d'honneur ! La crise, invoquée par son interlocuteur comme une preuve de la faiblesse de l'Etat, était retournée comme un gant par le Premier ministre qui en faisait ainsi le bouc émissaire du spectacle. Il réussissait non seulement à se sortir d'une discussion qui tournait à son désavantage, mais tous les syndicalistes présents, après un moment de stupeur, se mirent à l'applaudir frénétiquement... Belle illustration d'une métaphore incarnée en direct, à rapprocher de la phrase de Reagan : « Ne parlez plus de la crise, et elle disparaîtra » : le cow-boy d'Hollywood connaît les règles du show-business.

Mais il a trouvé une redoutable concurrente en la personne de son alliée britannique, Margaret Thatcher. La métaphore des Malouines restera comme l'un des meilleurs exemples de l'évidence de la relation entre la politique extérieure d'un Etat et sa manipulation de l'information en fonction d'une image de marque intérieure. Le « Rule Britannia » miraculeusement retrouvé conforta l'Occident, et surtout la vieille Europe, en révélant que nous avions encore des griffes ; à l'intérieur, la « dame de fer » montrait aux Anglais que les conservateurs ne reculaient pas quand l'honneur du pays était en cause. Comment cela s'est-il traduit, sur le plan de la communication ? Par une superbe désinformation que n'aurait pas renié le commissaire Andropov. Censure totale sur la guerre en direct, absence de compte-rendu télévisuel pendant la durée du conflit. On ne montre que ce qui réconforte : images de la puissance d'Albion (l'Armada en mer) ; images de santé et de détermination (les portraits de soldats, les interviews des familles : confiance et patriotisme) ; images d'humour et d'exotisme (les terribles gurkhas népalais aiguisant leurs couteaux avant le débarquement) ; enfin, images de la victoire (fraternisation, embrassades, happy end). Pas de sang, pas de blessés, pas de cadavres : la guerre propre. Thatcher gagne plus blanc. Elle avait compris la leçon médiatique du Vietnam : il importe que les masses ne soient pas dérangées dans l'image qu'elles se font d'elles-mêmes. Entre le refus de savoir et la bonne conscience, la « première » britannique a admirablement réussi le marketing de sa guerre par une mise en scène subtile de l'information. Là où Jimmy Carter avait lamentablement échoué dans son opération-commando pour la libération des otages de l'ambassade américaine à Téhéran, Thatcher a réussi à redorer le blason de son pays : les électeurs anglais ne l'ont pas oublié. Ils le lui firent bien voir en reconduisant triomphalement Madame Propre.

Désinvolture provocante de Trudeau, convivialité élégante de Mitterrand, panache déculpabilisant de Thatcher : trois aspects de la métaphore. Trois signes de l'engagement personnel et de l'implication nécessaire de l'homme d'Etat. Celui-ci ne peut plus être l'homme providentiel ; il ne peut pas non plus se contenter de gérer ; il lui reste l'ambition la plus haute — dire l'Histoire et donc prétendre la faire. L'art de gouverner ne se réduit pas à la capacité de relever les défis permanents du pays et du monde ; il exige qu'on en lance également, avec toute la fougue et la passion nécessaires. Ne négligeons pas le retour des passions et efforçons-nous de les canaliser vers la positivité. « Gouverner, c'est choisir », dit un jour un illustre président du Conseil. Gouverner, c'est aussi instruire, retourner à son avantage le cours des événements, formuler les élans plus ou moins inconscients de la nation par des actes spectaculaires et symboliques. Et l'on pourrait avoir la surprise de voir des états de grâce se prolonger, contre tous les pronostics.

L'Exposition Universelle eût été un beau prétexte. Voici un projet mobilisateur, un projet d'Histoire, faisant de Paris, pendant quelques mois, la vitrine du XXIe siècle ; un formidable réservoir d'idées et de réalisations, d'utopies concrètes et de rêves incarnés, admirable métaphore du passage de l'Etat-Nation à l'Etat-Monde. L'archaïsme insigne de nos mentalités politiques n'a jamais été si évident que dans les manœuvres qui aboutirent à l'abandon du projet. Le maire de Paris voyait là une belle occasion de tailler des croupières au pouvoir ; celui-ci ne négligea pas l'occasion, effrayé, semble-t-il, par les dépenses à engager. Si l'on voulait administrer la preuve que Paris est devenu un chef-lieu de canton, on ne s'y serait pas pris autrement. Tractations secrètes, ballets d'attaché-cases, renoncements feutrés, communiqués faussement indignés ou sincèrement ridicules : à la trappe, l'Expo ! N'eût-il pas été passionnant d'organiser un débat national sur le projet, avec appel aux créateurs, artistes, architectes, entrepreneurs, associations à travers tout le pays, en utilisant les relais des stations régionales — qui, enfin, se mettent à exister[1] — afin que tous réfléchissent sur le contenu de la manifestation, les stands que l'on voudrait y voir figurer, les thèmes des pavillons à construire ? Au lieu de rester cette tragicomédie secrète ourdie par quelques décideurs, l'Exposition aurait pu devenir le fruit des aspirations intimes — et professionnelles — de dizaines de milliers de citoyens, traversant triomphalement les cloisons des partis et des idéologies, établissant une irrépressible dynamique créatrice qui aurait réduit les polémiques politiciennes à ce qu'elles sont devenues : des échanges de bave d'escargots sur un matelas

1. Le fait que chacune des douze stations régionales de FR3 ait désormais la possibilité de produire trois heures de programme quotidien est un premier pas non négligeable, à condition de ne pas se contenter de décentraliser en France la diffusion des feuilletons saucissonesques made in U.S.A.

d'herbe grillée. Porté par un élan unanime, le projet devenait le roc de Gibraltar ; couvé dans le poumon d'acier de l'establishment décideur, il est mort au premier courant d'air démagogique.[1]

Comment organiser, à la base, le spectacle du consensus ? Regardons la démarche du peintre Christo. Cet artiste a pour péché mignon, on le sait, « d'emballer » de plastique des monuments, des ponts, des immeubles, voire des collines... Son dernier projet : ériger un mur diaphane de plastique, long de plusieurs centaines de kilomètres, en plein cœur des Etats-Unis. Pour obtenir les milliers d'autorisations nécessaires à la traversée des terrains, il avait participé à de multiples réunions d'information à l'intention des propriétaires et des municipalités concernés ; une foule de curieux participaient aux débats qui opposaient des associations pour la sauvegarde du site à des groupes d'initiative locale qui trouvaient là un moyen de faire parler à bon compte de leur région. Christo avait dû notamment affronter un « J.R. » local, propriétaire d'un immense territoire, qui refusait obstinément la présence du mur, et voulait le contraindre à changer de trajectoire. Finalement, au bout d'une négociation ardue avec des notables de la localité, soucieux de l'impact publicitaire du projet, « JR » avait cédé. Bel exemple de stratégie unanimiste et de machiavélisme bien tempéré : l'artiste avait obtenu de

1. Regrettons que Jacques Chirac ait aussi vite cédé au désir politicien : l'occasion était belle de co-produire un si évident « grand dessein ».

la firme DuPont de Nemours les kilomètres carrés de toile plastique nécessaires, dans le cadre d'une sponsorisation logique ; l'opération fut filmée par de grands cinéastes américains, dont Francis Ford Coppola, et pour Du Pont, ce fut une excellente occasion de vérifier la résistance de son produit aux vents brûlants de l'Arizona. Pour l'incarnation de son projet — sur lequel il n'y a pas lieu, ici, de porter de jugement — Christo s'est transformé en entrepreneur, manager, vendeur, agent de relations publiques. Son action mettait individus et groupes sociaux face à leurs responsabilités quant aux risques possibles à prendre. Contrairement aux organisateurs de l'Exposition universelle, par un jeu subtil de formation-information, l'artiste obtint ce qu'il voulait à travers le marketing de son idée.

Je voudrais faire litière de deux accusations qui ne manqueront pas de surgir ici, accusations qui, tel un Janus bifront, procèdent de la même démarche. D'une part, on va hurler au renforcement insidieux du rôle de l'Etat qui va irriguer les systèmes de communication et d'information, parler du matin au soir, répandre ses directives dans toutes les institutions, conditionner bestialement nos fils et nos compagnes. Ce reproche est évidemment grotesque. L'Etat, faut-il le répéter, ne pourra être que le metteur en scène de la pièce : il appartiendra aux Français de l'écrire. Le deuxième reproche serait celui du constat cynique : vous voulez que les Français s'expriment, mais la majorité silencieuse n'a que faire de parler, ce qu'elle veut c'est qu'on la nourrisse, qu'on la soigne, qu'on l'engraisse, et dormir en paix. Cette vision pouvait avoir quelque crédit il y a un siècle, au temps des créateurs maudits et d'une université réservée à quelques privilégiés soigneusement triés sur le volet. Aujourd'hui, la transparence comme art de gouverner n'est plus un luxe, mais une nécessité, face à des citoyens que la télévision, la radio et les journaux abreuvent de signes. Bien sûr, ceux-ci jouent parfois un rôle anesthésiant, voire soporifique, et ce ne sont pas les médias vivant principalement du rocher de Monaco ou du Trône de Buckingham qui me démentiront ; il reste quand même quelques millions de personnes qui ont des choses à dire, des désirs à exprimer, des changements à souhaiter, au-delà de leur légitime intimité. Quelles expressions médiatisés leur sont accessibles ? Ce sont toujours les représentants qui parlent. Les notables. Les mandatés. Les porte-parole. Les délégués officiels. Les autres, tous les autres, ne jouent jamais que des rôles de figuration dans le long métrage du quotidien.

Il n'est évidemment pas question de contraindre les Français à la parole, ce qui irait dans le sens exactement contraire au but poursuivi : comme dans les pays totalitaires, dissimulation et hypocrisie triompheraient sans peine. Mais il ne s'agit pas non plus d'attendre que la parole « se prenne » comme la Bastille, selon l'expression déjà lointaine de nos braves gauchistes. Il est temps d'en finir avec les crispations de la surenchère en créant par la mise en place d'une large tribune électronique, l'espace de consensus à partir duquel de nouvelles stratégies pourront être élaborées. La « Chaîne Blanche » ferait naturellement partie de cet espace.

Etat-metteur en scène, disons-nous. Encore un préjugé dont il faudra bien se débarrasser : l'Etat ne peut plus, aujourd'hui, organiser des manifestations de masse sans que des doigts vertueux ne se tendent vers lui et que des voix éraillées d'indignation ne crient au totalitarisme, à la manipulation, à l'endoctrinement : pour ces encéphales aplatis, depuis que Hitler, Mussolini et Staline organisèrent de gigantesques défilés uniquement consacrés à leur autoglorification, tout rassemblement de plus de trois personnes signifie la fin des démocraties et l'arrivée en trombe de M. et Mme Goulag, munis de tous leurs accessoires. Que dire, alors, des cent mille « fans » qui vont écouter un concert de David Bowie ? Du million de fidèles qui se pressent autour du Pape ? De la ferveur hurlante des finales de Coupe du Monde de Football ? S'agit-il, là aussi, de signes évidents de dictature ? Serge Tchakhotine, dans *Le Viol des foules,* a minutieusement décrit ces techniques de mise en scène, non pour les brûler toutes dans le même autodafé indigné, mais pour expliquer leurs fonctions d'outils des pulsions orgasmiques des masses, ce que d'autres ont appelé des extases de l'Histoire. Quel parti, quelle formation politique ne sent la nécessité de s'autolégitimer, au moins une fois par an, dans l'assomption d'une foule enthousiaste ?

Mise en scène n'est pas forcément synonyme de tyrannie.

Il faut en finir avec la peur d'innover, de changer, de modifier les règles du jeu. Le pouvoir giscardien avait peur de perdre une partie de ses prérogatives par l'informatisation de la société civile, prenant ainsi la responsabilité historique du terrible retard accumulé en ce domaine ; le pouvoir socialiste, qui a peur de voir Chirac occuper toutes les télévisions privées, repousse l'échéance de la libéralisation totale des moyens de communication ; la peur, en produisant les pires stratifications conservatrices, maintient le pouvoir d'Etat dans une absurde position défensive par rapport aux désirs de ses administrés et aux nécessités d'adaptation du pays. Avouons-le franchement : qui d'entre nous n'a pas vécu dans la terreur de perdre sa clientèle ? Mais le temps est venu d'aller outre. Je ne cesse de le redire à mes amis de l'opposition : nous n'avons plus les moyens de notre immobilisme conceptuel.

CHAPITRE XI

Choisir sa vie, choisir sa mort

Nous avons vu à quel point le deuxième trait du grand dessein — l'Etat offrant aux désirs les moyens de s'exprimer — peut générer une dynamique profitable au plus grand nombre. Reste que l'Etat-Providence ne disparaîtra pas comme par enchantement, par un coup de baguette magique d'idéologues de café-théâtre ou de politiciens en quête d'un public. Considérons l'un des tonneaux des Danaïdes de l'Etat nourricier : les dépenses sociales. Nous n'allons pas entrer dans le dédale de ce labyrinthe où Jason lui-même ne retrouverait qu'une paillasse mitée en guise de Toison d'or. Contentons-nous de rappeler quelques chiffres : le budget social de la France (dépenses de santé, allocations familiales, chômage, vieillesse, retraite, etc.) s'élève actuellement à mille milliards de francs. Le rythme de croissance des prestations sociales est de 6,6 % par an, alors que le Produit Intérieur Brut croît à un rythme avoisinant les steppes glacées du 0. De 1960 à 1982, le prélèvement social a augmenté de 10 points, passant de 9,4 à 18,9 % du PIB. La part du prélèvement fiscal est restée, quant à elle, pratiquement stationnaire. La médicalisation de la France va plus vite que le TGV : rien qu'en 1982, les dépenses de soins ont augmenté de 19 %, les dépenses pharmaceutiques de 16 %, et les dépenses d'hospitalisation dans le secteur public de 23 % ! Quelle est cette langueur maligne qui se répand sur notre pays ? Nous aimerions évidemment l'imputer à un phénomène de rejet psychosomatique massif provoqué par le régime socialo-communiste. Beau thème de propagande : chaque apparition de Mauroy sur les écrans provoque des crises de tétanie ; les discours de Badinter ont été responsables de 15 % des infarctus constatés en 1982 ; la seule vue de Jean-Pierre Chevènement entraîne, chez certains de nos concitoyens, une hausse anormal du taux de cholestérol. Voilà un excellent argumentaire politique à proposer à nos amis Poniatowski et Labbé qui en feront, n'en doutons pas, excellent usage.

Revenons aux choses sérieuses. Il est tout de même aberrant qu'en vingt ans, les dépenses de santé des Français aient été multipliées par dix. Si l'on continuait à ce rythme, dans vingt ans, la totalité du Produit Intérieur Brut serait absorbée par la seule assurance-maladie ! Si l'on examine, par ailleurs, les comptes de l'assurance-chômage et des caisses de retraite, on constate que le financement de l'UNEDIC, qui se montait à 1 % du PIB en 1974, s'élèvera à 3 % en 1983 ; que le déficit cumulé 1982-1983 sera de 14 milliards de francs ; que, de 1978 à 1982, la masse des allocations versées aux chômeurs a plus que triplé, ce qui correspond à un rythme de croissance annuelle de 40 % ; que les cotisations (payées à 60 % par les employeurs et à 40 % par les salariés) ont doublé en moins de trois ans ; que l'Etat finance le tiers des dépenses de l'UNEDIC : trente milliards de francs en 1983, soit 43 % des dépenses d'indemnisation. Il importe également de savoir que cent mille chômeurs supplémentaires diminuent les recettes de la Sécurité Sociale et de l'UNEDIC de 6,5 milliards de francs ; font naître, de surcroît, un nouveau déficit global de 8,5 milliards de francs : soit, au total, une somme plus importante que le déficit du régime général de la Sécurité sociale en 1981 et 1982 ! Le coût moyen d'un chômeur pour l'UNEDIC, la Sécurité sociale et l'Etat, se monte à 72 000 francs par an.

Gouffre sans fond dans lequel s'engloutissent impôts supplémentaires, prélèvements exceptionnels et taxes de toutes sortes ; gouffre qui risque encore de s'élargir avec les prochaines coupes sombres dans la sidérurgie, les charbonnages, la chimie, le bâtiment et le textile. Nul gouvernement n'échappera à ces échéances, à ces impératifs aussi catégoriques que contradictoires. On ne peut plus charger les entreprises : nos employeurs paient 56 % du financement social général, alors que les patrons allemands n'en paient que 38 % et alors que l'un des objectifs essentiels est de rétablir la capacité d'autofinancement de notre tissu industriel... L'on ne peut pas, non plus, augmenter indéfiniment les cotisations des salariés : pour un régime de gauche, ce serait mal venu ; pour un régime de droite, ce serait l'émeute. Surtout que dans ce domaine, l'inégalité règne : les cotisations sociales absorbent 32,8 % du revenu des ouvriers ; 19,6 % de celui des cadres supérieurs ; et seulement 8,6 % de celui des exploitants agricoles (ces derniers, en effet, voient leurs cotisations personnelles couvrir l'ensemble de leurs propres salariés).

Pour maintenir la protection sociale à son niveau actuel, il faut trouver chaque année 20 milliards de francs supplémentaires : rudes journées en perspective pour la maison Delors ! Chaque année, la même comédie se déroule avec son rituel parlementaire, ses polémiques médiatisées, ses faux affrontements masquant plus ou moins les vraies questions : tout le monde sait qu'il est impossible de continuer ainsi, chacun y va de sa solution-miracle, en n'ignorant guère qu'aucun parti ne la prendra en charge, parce qu'elle signifierait l'attaque frontale contre un faisceau de corporatismes et d'intérêts catégoriels, c'est-à-dire, à terme, la perte de plusieurs millions d'électeurs. De toute façon, les solutions-miracles n'existent que dans les Evangiles judéo-chrétiens ou marxistes : pour les grands schémas, nous avons déjà donné.

Il y a quelques mois, les « nouveaux économistes » ultra-libéraux annonçaient triomphalement leurs dix mesures pour venir à bout de la Sécurité sociale[1]. La première préconise « le

1. Texte publié notamment dans *La Nouvelle Lettre* (Jacques Garello).

paiement direct aux salariés du montant complet des cotisations sociales, part patronale comme part salariale. Le salarié a ensuite la charge de s'assurer et de verser ses cotisations ou ses primes ». Effet attendu, selon ces disciples de Hayek et Friedman : « faire apparaître à l'assuré social les vrais coûts de la Sécurité sociale, le mettre en situation de gérer lui-même sa protection ». Et ils poursuivaient :

> « Deuxième mesure : liberté de s'assurer pour ceux dont les revenus sont supérieurs à un plafond. Au-dessus de ce plafond (fixé par la loi et révisable), ceux qui le veulent s'assurent où ils le veulent, ou ne s'assurent pas (mais supportent alors tous les risques). Ceux qui le désirent s'assurent à la Sécurité sociale. Effet attendu : laisser à ceux qui en ont les moyens et le tempérament la possibilité de prendre complètement leurs risques ; entamer le monopole de la Sécurité sociale.
>
> « Troisième mesure : en dessous d'un plafond, assurance obligatoire pour les gros risques. Risques hospitalisation, retraites, doivent être obligatoirement couverts pour les personnes qui n'atteignent pas le plafond (fixé par la loi et révisable). L'obligation est satisfaite même si l'assurance n'est pas souscrite auprès de la Sécurité sociale (organismes agréés). Les petits risques sont assurés librement. Effet attendu : mettre les personnes disposant de peu de moyens à l'abri de leur propre

imprévoyance et des coûts sociaux qu'elle engendrerait ; donner la possibilité de gérer les petits risques. »

Tout cela est fort séduisant, et semble procéder d'une démarche d'apprentissage du risque et de la responsabilité que nous n'avons cessé d'appeler de nos vœux. Mais les prémisses de ce raisonnement sont en partie erronées : on part du principe que l'Etat-Providence n'est qu'un parasite à la charge de la société qui travaille et produit pour lui. En réalité, cet Etat redistribue les sommes qu'on lui verse ; il ne faudrait tout de même pas oublier que le pourcentage des revenus des ménages provenant uniquement des redistributions sociales est passé de 25,3 % en 1973 à 36 % en 1983... Comme l'écrit l'économiste Alain Lipietz : « Si toutes les cotisations étaient reversées aux revenus directs, chaque ménage serait d'un coup plus riche, mais devrait assumer directement plus de dépenses, et donc faire plus d'économies. La plupart auraient recours à un système d'assurances privées qui lui aussi aurait son coût, tout aussi contestable et sans doute plus élevé que celui de la gestion publique : il n'y a qu'à voir l'exemple des compagnies d'assurances. » Et Lipietz de montrer que si l'on compare les régimes existants dans les pays à revenus élevés, par exemple l'Angleterre (fonctionnariat et médecine gratuite), les USA (médecine libérale avec assurance semi-facultative) et la France (médecine libérale et remboursement des soins librement choisis par une assurance publique), force est de constater que plus les gens peuvent librement choisir, plus est forte la part des dépenses de santé dans le revenu national : la palme revient aux USA, suivis par la France, puis par la Grande-Bretagne.

Cela montre bien que la question, ici, n'est pas celle de la responsabilité ou de la dépendance : le problème est ailleurs. Quand le malade peut choisir, il paie encore plus cher, autant que ses moyens le lui permettent. Le vrai problème est celui de la médicalisation infernale de la société : il n'est pas exagéré d'avancer que le complexe « industrialo-hospitalier » pèse aussi lourd, en France, sur l'incitation à la consommation médicale, et donc dans le déficit du budget santé, que le complexe militaro-industriel dans l'Amérique de Reagan ou la Russie d'Andropov. Entendons-nous bien : il ne s'agit pas ici d'incriminer la médecine française, probablement l'une des meilleures du monde, ni la qualité des soins et du dévouement que l'on y rencontre souvent ; mais ce qui grève lourdement l'avenir, ce sont les hospitalisations inutiles, les frais de personnel qui représentent les trois quarts des dépenses de fonctionnement, la taylorisation des hôpitaux qui sont d'autant mieux classés que les lits y sont plus remplis : une appendicite à l'hôpital Cochin signifie sept jours d'hôpital et 14 000 francs de dépenses ; dans une clinique privée, à taux égal, la dépense ne serait que de 5 000 francs... Il ne faudrait tout de même pas que nos hôpitaux deviennent Concorde : la masse des contribuables payant pour une poignée de cobayes dont on prolonge le coma à l'aide d'appareils aussi coûteux que complexes.

Les industries de santé ne connaissent pas de récession. Il arrive que, dans un même hôpital, chaque service veuille posséder son équipement hyper-sophistiqué, ses appareils ultra-perfectionnés. On achète deux lasers, l'un pour la dermatologie et l'autre pour l'ophtalmologie, tous deux sous-utilisés. On a besoin d'un scanner ? On en commandera trois. Quelle importance, puisque tout est remboursé ? Il n'est évidemment pas question de ne pas soigner les grands malades, les accidentés, les grands infirmes, les dialyses rénales ou les cancers terminaux ; mais il ne serait peut-être pas inutile de mieux contrôler les dépenses des hôpitaux. Plutôt que d'abandonner les patients à eux-mêmes, il s'agit de responsabiliser techniciens et marchands. Tout le monde sait qu'il existe des milliers de médicaments inutiles, les mêmes produits étant vendus sous des emballages et à des prix différents, les visiteurs médicaux faisant la retape auprès des médecins pour caser leur marchandise par tous les moyens possibles. Ce n'est pas pur effet de circonstance si le montant des campagnes publicitaires pour les produits pharmaceutiques s'élève à 15 % du chiffre d'affaires des laboratoires (c'est-à-dire 3,5 milliards de francs en 1980) alors que leur budget de recherche n'atteint pas les 10 %... Les médicaments se multiplient, les pharmaciens peuvent répondre à l'inquiétude stressée de nos contemporains, pilule jaune pour le réveil, pilule rose pour midi, pilule verte pour le dîner, pilule mauve au moment du coucher : l'Etat paiera. Justement, il ne peut plus. Alors, disent certains, qu'il se retire du jeu : difficile, on l'a vu, de laisser s'installer une médecine à deux vitesses.

Que faire ? Ne pas mélanger, d'abord, l'immédiat et le long terme. Dans l'immédiat, il s'agit de ne plus limiter les prélèvements sociaux à la masse salariale. Pourquoi ne pas le dire ? Jusqu'ici, la solidarité a bon dos : d'un côté, en matière de médecine courante, et grâce au sacro-saint plafond, cadres et professions libérales profitent beaucoup plus du système que les employés, les ouvriers ou les salariés agricoles ; de l'autre, il serait temps qu'entreprises et salariés cessent d'assurer, au bénéfice du secteur non salarial, la quasi-totalité de la protection sociale. Par ailleurs, il faudra bien que la France « abritée », c'est-à-dire celle de la Fonction publique, paye d'une manière ou d'une autre le privilège de l'emploi garanti. C'est dire que les clauses de sauvegarde introduites dans les accords salariaux, obligeant à indexer les salaires sur les prix, devraient être déclarées nulles et non avenues et formellement interdites à l'avenir.

Si nous ne voulons pas assister, dans quelques années, à des affrontements auprès desquels mai 1968 ne fut qu'un soupir de rosière dans une fête paroissiale, l'on ne pourra pas éviter de frapper à droite comme à gauche, dans les droits acquis comme dans les revendications partielles ; du haut en bas de l'échelle, il faudra mettre chacun face à ses responsabilités.

Ferons-nous comme aux USA où la « Health Maintenance Organization » propose, contre une cotisation annuelle, la prise en charge gratuite et illimitée du patient ? La HMO a aujourd'hui neuf millions d'adhérents ; son adoption en France signifierait automatiquement l'instauration d'une médecine duale. C'est un point de vue ; il faut le discuter. Faudra-t-il supprimer le ticket modérateur et le remplacer par une franchise annuelle de 2 % proportionnelle aux revenus des ménages, comme en Suède ? Ce serait également à étudier. Puisqu'on ne peut — ni ne veut — augmenter les charges des entreprises, déjà excessives, ni les cotisations sociales des salariés — il faut choisir : non pas une solution-miracle, mais un cocktail savant qui ferait « passer » la pilule avec le moins de dégâts possibles.

C'est ici que l'on retrouve le rôle de l'Etat informateur-formateur, pratiquant la métaphore et la maïeutique pour expliquer, consulter, faire s'exprimer, confronter ; pourquoi maintenir le débat sur la Santé dans le secret des cabinets ministériels, les discussions de marchands de tapis patronat-syndicats-Etat, ou l'enceinte compassée de l'Assemblée Nationale ? Pourquoi ne pas lancer un grand débat sur la place publique par le truchement des radios, des télévisions et des journaux, en convoquant médecins et patients, spécialistes et consommateurs, pharmaciens et cotisants ? Le gouvernement tirerait son épingle du jeu, non par l'annonce de décisions faisant loi et provoquant immédiatement d'inévitables réactions, mais en dégageant, au fil de discussions générales et publiques, l'axe possible d'un consensus, en utilisant la ligne de moindre résistance, en canalisant émotions et affrontements. L'Etat ne doit pas être pressé. Il doit savoir ce qu'il veut, mais faire en sorte que sa doctrine n'apparaisse formulée qu'à la faveur d'une habile mise en scène, par le désir inconscient de ce que les hommes de média appellent délicieusement le « grand public ». En ce qui concerne la santé, domaine essentiel s'il en fut de la vie quotidienne, l'Etat doit ouvrir le jeu en proposant indirectement des règles ; car si l'on aperçoit les ficelles de la mise en scène, la pièce est ratée, le film loupé, la campagne politique nulle et non avenue. L'un des premiers devoirs d'un homme politique moderne devrait être de lire le *Tao Te King,* cela lui ferait gagner un temps précieux :

> « Qui veut abaisser quelqu'un doit d'abord le grandir.
> Qui veut affaiblir quelqu'un doit d'abord le renforcer.
> Qui veut éliminer quelqu'un doit d'abord l'exalter.
> Qui veut supplanter quelqu'un doit d'abord lui faire des concessions.
> Telle est la vision subtile du monde.
> Le souple vainc le dur.
> Le faible vainc le fort.
> Le poisson ne doit pas sortir des eaux profondes.
> Les armes les plus efficaces de l'Etat ne doivent pas être montrées aux hommes. »

En revanche, mes chers compagnons, il faudrait savoir les utiliser, ces armes. Nous sommes encore loin de compte. Heureusement, les barbus qui nous gouvernent n'ont pas, eux non plus, lu le Tao. Sinon, ils s'y seraient pris autrement pour décider des nouveaux prélèvements fiscaux.

L'histoire vaut la peine d'être narrée. Postulat : il faut trouver quarante milliards de francs en 1984 pour équilibrer les comptes de la Sécurité sociale et limiter le déficit du budget de l'Etat à 3 % du Produit Intérieur Brut, ainsi que l'exigeait le Président de la République. Une solution nouvelle — contre laquelle nous aurions évidemment poussé des cris d'animaux, mais qui, du point de vue de la gauche, paraissait tout à fait intéressante — consistait à opérer un prélèvement proportionnel, retenu à la source, sur l'ensemble des revenus des ménages. Son rendement : vingt milliards de francs par point ; à 2 %, les quarante milliards étaient donc trouvés ; proportionnel aux revenus, ce prélèvement était plus juste que les cotisations actuelles, qui sont dégressives en fonction du revenu ; portant sur les revenus du travail comme sur ceux du capital, il était plus équitable que la contribution exceptionnelle de 1 % décidée en 1983, qui exonérait les revenus du capital ; il rejoignait, non le modèle collectiviste, mais la social-démocratie à la suédoise ; et surtout — thérapie brève, dont une habile campagne informationnelle aurait pu montrer la nécessité civique —, d'un seul coup d'un seul aurait été comblée la plus grande part des déficits publics. Pour contrebalancer la saignée — on eût prélevé, en effet, sur la totalité des revenus — on pouvait, outre l'exonération des plus démunis, en profiter pour rendre un intéressant hommage à la lutte des classes : taxer les droits de succession. Dans ce domaine, le taux français (20 %) est actuellement l'un des plus bas d'Occident. Il aurait donc rejoint celui des Etats-Unis (50 %). Comme nous ne pouvons accuser les USA d'être un pays de démocratie populaire, nous aurions eu mauvaise grâce à tonner contre cette mesure. Social oblige : auraient été exclus de l'assiette de la contribution les prestations familiales, les indemnités journalières maladie et maternité, les rentes des accidents du travail, les pensions d'invalidité, le minimum vieillesse, l'allocation aux adultes handicapés, les allocations chômage et préretraite inférieures au SMIC, ainsi que les retraites des personnes non imposables. En revanche, les primes et indemnités des fonctionnaires eussent été incluses dans l'assiette de la contribution.

Des bribes d'informations commencent à apparaître dans les journaux, les « on dit » fleurissent, Mauroy et Delors en auraient parlé au Président, la chose est pratiquement faite ; mais c'était compter sans les fantassins du socialisme pur et dur, ceux qui ne se laissent pas attendrir par les sirènes du réformisme rampant, ceux dont les nuits sont hantées par cette question angoissante entre toutes : « Comment la gauche peut-elle maîtriser l'Etat sans que l'Etat ne maîtrise la gauche ? », ceux qui se demandent gravement, près de trois ans après leur accession au pouvoir, quel « rôle doit jouer la gauche dans la société française ? » Ceux-là, les Joxe, les Goux, les Laignel, se ruent à Matignon. Comment ? On veut faire payer le peuple ? Nous n'avons pas été élus pour cela : les riches peuvent raquer. Faire ça à un mois du Congrès, vous n'y pensez pas ! C'est de la folie pure ! Mauroy tient bon. Joxe et Jospin lui font alors comprendre qu'il doit payer son droit d'entrée au courant A. Mauroy dira : « On m'a fait plier le genou ». Résultat : exit la contribution proportionnelle de 2 %. Les déficits, eux, restent. Ils s'accrochent. Carrément collants. Aucun tact, ces déficits. Alors, qu'est-ce qu'on fait ? Parbleu ! Nous allons pêcher à la ligne juste du parti. Rien ne vaut les recettes éprouvées : impôts indirects sur la consommation (tabac, alcool, vignette automobile), TVA alourdie sur les téléviseurs, les appareils photographiques, la haute fidélité. Côté gros revenus : on augmente le taux des prélèvements et des majorations dont l'exceptionnalité devient étonnamment répétitive. Or, l'impôt sur le revenu a atteint une progressivité touchante : 77 % de taux marginal d'imposition en 1983 ! Les hauts revenus ont dû en effet payer la tranche à 65 %, la majoration de 7 %, l'emprunt obligatoire et le 1 % exceptionnel. Comme ceux-ci seront non seulement maintenus mais augmentés, nous allons arriver tranquillement à des tranches de 80 %. Pourquoi pas ? Nous n'allons pas pleurer exagérément sur le sort des « yacht people », ils sont assez intelligents pour avoir déjà pris leurs précautions. Mais il y a beaucoup plus grave : outre le manque à gagner pour les commerces de luxe, ce sont les classes moyennes qui seront touchées de plein fouet par l'alourdissement des charges fiscales. Et les salariés — cadres supérieurs et moyens — auront, une fois de plus, l'impression d'être les dindons de la farce. Sans compter l'impact psychologique des annonces hebdomadaires ou mensuelles de nouveaux appels au portefeuille. Est-ce ainsi qu'on les mobilisera, qu'on leur redonnera confiance en leur pays, qu'on les motivera pour entreprendre, risquer, s'aventurer ? Ne répondez pas tous à la fois.

Beau gâchis. Alors qu'il eût fallu discuter, devant les caméras de télévision, avec tous les partenaires sociaux, et les amener subtilement aux objectifs décidés ; faire prendre conscience aux Français de l'impossibilité d'avoir à la fois le beurre et l'argent du beurre : une fois de plus, le consensus ne peut exister aujourd'hui que dans son spectacle organisé. Pour réussir à faire s'asseoir à la même table, face à face, ma concierge et l'immigré qui balaie le trottoir, le cafetier du coin et le pharmacien d'à côté, la commerçante du dessus et le cadre qui vient d'aménager, quoi de plus efficace qu'une caméra de télévision ? Notre véritable force de frappe, en société info-culturelle, c'est la transparence. Je pourrais, par exemple, à cette commerçante et à ce cadre, raconter la petite histoire suivante, citée par Alain Lipietz : le financement des allocations familiales est actuellement assuré par les employeurs à raison de 9 % de la masse des salaires. Si nous faisions entrer en ligne de compte tous les revenus (salariés et non salariés), ce financement tomberait à 6 %. Supposons alors que les entreprises transfèrent 6 % aux salaires directs de leurs employés : pour les salariés sous plafond, ce serait une opération blanche, mais pour les entreprises, cela représenterait 3 % de marge brute supplémentaires, soit une hausse de 30 % de leur capacité d'autofinancement...

Ma petite histoire chiffrée provoquerait des hurlements d'un côté, des approbations de l'autre, mais elle aurait du moins le mérite d'être discutée et méditée non seulement par les voisins, mais par plusieurs millions de téléspectateurs ; de la violence des réactions, de la chaleur des affrontements, de la validité ou de l'absurdité de ce transfert, le gouvernement pourrait tirer de précieuses indications, et, dans un second temps, mettre en scène les décisions prises à ce sujet. Quand on sait que la préoccupation majeure de n'importe quel pouvoir en France aujourd'hui est d'insuffler le bouche-à-bouche salvateur aux grands malades industriels, les petites histoires télévisées peuvent avoir leur importance. Elles feraient partie intégrante des grands débats nationaux qui devraient être organisés dès à présent sur la scène du spectacle politique, et qui auraient la double fonction d'informer effectivement les masses et de s'informer par elles, en même temps que se renforcerait l'image du pouvoir par la mise en valeur de sa propre action.

Nous avons longuement évoqué les problèmes immédiats posés par l'aggravation dramatique des dépenses de santé. Mais l'Etat jouerait également son rôle d'informateur et de formateur à long terme en exposant sur la place publique les raisons de cette dépendance sans cesse accrue à l'égard de la médecine et des médicaments, qui caractérise le citoyen occidental de cette fin de siècle. Expliquer que les soins, c'est bien, mais que la prévention, c'est mieux ; que la médecine institutionnalisée, définie comme « l'ensemble des soins et traitements codifiés que dispense aux gens un corps de professionnels spécialisés », c'est nécessaire ; mais que l'hygiène, définie comme « l'ensemble des conduites et des règles que les gens observent par eux-mêmes pour conserver et recouvrer leur santé », c'est indispensable. L'ouvrier qui vit dans une HLM bruyante et insalubre aura beau consommer des kilogrammes de tranquillisants et d'antidépresseurs, son état ne s'améliorera pas tant que son environnement n'aura pas changé. Aujourd'hui, quand on se sent mal dans sa peau, quand un malaise quelconque nous étreint, on va chez le médecin On pensera rarement qu'il s'agit d'un refus d'adaptation à un environnement ou à des conditions de vie oppressantes : faute de pouvoir régler ses problèmes de travail, de logement et de communication, on prend le chemin du cabinet médical. On se confesse, on s'épanche, et le bon thaumaturge ordonnera trois Pater et six Ave, à prendre trois fois par jour avant les repas. Cette formidable dépendance, cette incapacité cultivée ou forcée à se prendre en charge, ne disparaîtront pas par décret. Il ne suffira pas de lire Ivan Illich (*La Némésis médicale*), André Gorz (*Les chemins du paradis*), ou Jean-Pierre Dupuy (*Ordres et désordres*), pour prendre miraculeusement conscience de cet état de choses. Les dépenses de santé, au-delà des tours de passe-passe qui permettent de gagner du temps, ne diminueront véritablement qu'avec l'information et la formation accélérées et permanentes des hommes et des femmes de ce pays. René Lenoir, l'ancien secrétaire d'Etat aux « exclus », le confirme dans la revue *Intervention :* « Il faut revenir à l'éducation dans les familles, l'éducation à l'école, l'éducation dans les médias. Le budget de l'Education sanitaire était de trois millions de francs en 1974. Il est maintenant d'une quinzaine de millions, pour un chiffre d'affaires [des industries de santé] de trois cents milliards. »

De ce point de vue, la vogue du « mieux-être » et des mille et une techniques pour garder ou retrouver la « forme », s'avère tout à fait bénéfique. Mais il faut aller plus loin et utiliser une fois de plus le médium de la télévision d'Etat, en attendant le logiciel informatique qui permettra à chacun de consulter instantanément son dossier médical et de faire les premiers diagnostics. Sur le thème : « prendre soin de soi-même », médecins, diététiciens, internes, psychologues dispenseraient des conseils sur la nutrition, la forme, les états dépressifs. Il s'agit en effet d'être informé *en permanence* sur son état de santé. De plus, le réseau télématique relié à la Chaîne Blanche offrirait à ceux qui en auraient besoin une liste d'adresses et de numéros de téléphone de centres de santé, de cabinets de thérapie, de magasins d'alimentation diététique, de centres de gymnastique et de relaxation — cela, à travers toute la France. Ainsi se trouverait tissé à travers le pays un réseau informationnel unique, accessible à tous ceux qui en auraient besoin, en même temps que les chaînes nationales et régionales diffuseraient à intervalles réguliers une série d'émissions sur la manière de se prendre en charge et de contrôler régulièrement ses états de santé.

Sur le plan local ou sectoriel, les collectivités, associations et syndicats, pourraient constituer leurs propres réseaux d'information et d'analyses, en même temps qu'ils seraient reliés — par terminaux d'ordinateurs — à la banque de données de la chaîne médicale qu'ils nourriraient à leur tour en informations. Sur les ravages causés par le bruit, l'alcoolisme, les nuisances, sur les accidents du travail et les maladies professionnelles, des dossiers pourraient être constitués, des débats engagés, chacun s'enrichissant des trouvailles de l'autre, dans une circulation rendue de plus en plus fluide par l'utilisation de l'informatique.

Un exemple des potentialités de l'outil : je me trouvais, il y a quelques mois, dans un restaurant de Chicago, le « Jock's Nouvelle bar and grill ». Je commandai des pâtes aux épinards, ma foi fort appétissantes. Au moment de payer, on me remit, avec ma note, un mince folio sorti de l'ordinateur qui se trouvait à proximité de la caisse. Sur le ticket était écrit : *405. J 34. S 47. T 66.* Je demandai au garçon s'il s'agissait d'un message secret. Il sourit : « Pas du tout, monsieur ; l'ordinateur vous dit le temps d'exercice physique que vous devrez faire pour brûler les 405 calories que vous venez d'absorber. » Il me fallait donc, pour que quelques grammes supplémentaires ne viennent point alourdir ma gracieuse silhouette, faire, au choix, 34 minutes de jogging, 47 minutes de natation, ou 66 minutes de tennis. Quand le logiciel se met à jouer les conseillers en diététique, tous les espoirs sont permis.

Ainsi, dans ce domaine comme en d'autres, nous aurons enfin rejoint notre siècle. Plus de secrets, mais de la transparence. Plus de manichéisme réducteur, mais l'intégration dynamique de la conception adverse : toute idée appelle l'idée contraire ; plus d'ordre artificiel, mais un désordre organisateur ; plus de communication linéaire et passive, mais des interactions nécessaires et actives que nous régulerons grâce à notre science de la communication.

Tout peut et doit être mis sur l'espace magique de l'écran télévisé. Ce qui implique naturellement la volonté absolue de ne jamais violer, de quelque façon que ce soit, l'intimité des citoyens, leur vie privée, leur jardin secret. Chacun parlera de ce dont il a envie de parler, ne s'exprimera que quand et où il en ressentira la nécessité. La société info-culturelle se situe aux antipodes, est-il encore besoin de le souligner, de la société totalitaire ou de la rance inquisition des dictatures, dont la préoccupation principale consiste justement à bâillonner les peuples assujettis et à faire de toute confidence un risque quasi mortel. Lénine se plaisait à dire que le communisme, c'était les Soviets plus l'électricité ; nous affirmons que la démocratie moderne, c'est Athènes plus la télématique.

Quoi dire et comment le dire : autant de mystères qui se dévoileront par la mise en présence des intéressés. Imaginons un grand débat sur l'homosexualité. Des groupements d'homosexuels seraient confrontés avec des associations familiales, des médecins, des représentants des différentes églises, de la condition féminine, du troisième âge, de mouvements de jeunes, d'autres encore... Au début, désordre et chahut régneront indivis. Puis, le premier jour de défoulement passé, le vrai travail commencera. Dans ce genre d'assemblée, on assiste toujours à l'auto-élimination des irréductibles au regard enflammé et au verbe excessif. La télévision, médium « froid » par excellence, ridiculise très vite n'importe quel extrémisme. Le débat s'engage, qui apparaît bientôt pour ce qu'il est : une véritable métaphore pédagogico-politique. S'organise alors, en effet, le spectacle de la différence : des droits sont revendiqués avec passion, suscitant à leur tour, en filigrane, la nécessité des devoirs : un sentiment de responsabilité gagne progressivement l'assistance filmée, de même que ceux qui reçoivent les images de la rencontre. Au travers du rire et des accusations, de l'humour ou de la colère, de la chaleur conviviale ou de la haine tenace, les participants en viennent à constater qu'on ne peut pas tout faire, que des concessions sont nécessaires, que les refus irréductibles du début peuvent se transformer en propositions constructives, parfois à la stupéfaction de leurs propres auteurs. Ce qui est décrit ici ne représente rien d'autre qu'une donnée de base de la psychologie des foules, à savoir le cérémonial qui doit aller jusqu'au bout, c'est-à-dire jusqu'au relâchement des tensions et à la découverte — toute simple, énorme — que l'on peut *se* parler.

Attention, je ne dis pas qu'à l'issue du show, les participants tomberont forcément dans les bras l'un de l'autre, dans une apothéose de boy-scouts, en pleurant qu'ils s'aiment et qu'ils sont tous frères et sœurs : nous ne voulons évidemment pas réduire la France, ce qu'à Dieu ne plaise, à une secte Moon ; mais, peut-être, esquisser une structure qui serait, à l'échelle du pays, ce que sont les cercles de qualité et les conseils d'ateliers à l'échelle de l'entreprise ; aujourd'hui, avec les transmissions audiovisuelles, est-ce vraiment utopique ? La politique du théâtre pourrait enfin servir le théâtre de la politique : Comment voulez-vous mobiliser les citoyens sur des réformes à l'élaboration desquelles ils ont le sentiment de n'avoir jamais été consultés ? La « participe-action » n'est pas un slogan politique de plus, mais la circulation sanguine d'une société info-culturelle. A tous serait ainsi démontré que l'organisation sociale est un jeu qui ne peut se jouer sans règles ; que celles-ci sont vivantes, c'est-à-dire nécessairement modifiables à chaque fois que la pression sociale, les impératifs économiques ou les innovations technologiques les remettent en cause. Cette notion de souplesse vivante des lois est fondamentale : ainsi seront légitimés l'importance du consensus qui les déterminera, et, partant, le devoir civique de les observer à partir du moment où elles ont été choisies. Pas de vie collective sans règle, pas de règle sans application, pas d'application sans responsabilité : le jeu sociétal apparaît ainsi non seulement comme l'expression des droits de chacun, mais, indissociablement, de ses devoirs.

Faisons en sorte que « ça » parle. Partout. Et par tous. De tout. Et de tous. L'on s'apercevra bientôt que les fameuses « majorités silencieuses », chères aux professionnels de l'analyse, sont beaucoup plus bavardes qu'il n'y paraît. Multiplions les radios, et donnons-leur les moyens de vivre. Multiplions les télévisions, et donnons-leur les moyens d'exister. Craint-on un nivellement par la base, l'invasion de programmes débiles et de variétés sirupeuses ? Cette probabilité existe. Mais je suis un auditeur relativement attentif, à certaines heures de la nuit, des radios libres. J'y ai parfois entendu non seulement un langage nouveau, mais des renseignements précis sur des produits, des mises en garde de consommateurs, des informations utiles sur la vie de quartier, les fêtes qui s'y déroulaient, où aller en cas de coups durs, etc. Un véritable réseau de débrouille et de « jeux » avec le système, chambre d'échos d'une économie souterraine que nous dénonçons hautement, mais dont nous sommes pourtant bien heureux qu'elle existe. Bref, « ça » parlait. Et la relative médiocrité de l'ensemble ne tient-elle pas plutôt, souvent, à l'inexpérience et à la faiblesse des moyens ?

Revenons un moment sur les dépenses de soins. D'après une enquête du CREDOC, 80 % des malades ne consomment que 20 % de ces dépenses ; 4 % des malades font 50 % de la consommation, et, parmi ceux-là, 1 % est comptable de 40 % des frais médicaux !... Il s'agit non seulement, dans ce dernier cas, d'accidentés de la route, de grands brûlés, de grands infirmes, de patients en dialyse rénale ou en traitement au cobalt, mais aussi de personnes très âgées sur lesquelles on pratique l'acharnement thérapeutique, à l'aide des grands moyens de la médecine ultra-moderne. Il n'est pas question ici de s'insurger contre la recherche médicale qui a triomphé de la mortalité infantile et contribué à l'allongement de la durée de la vie humaine. Mais force est de constater que, depuis un demi-siècle, cette durée n'a pas augmenté, en dépit des fascinants appareils que l'on nous annonce chaque semaine ; contrairement à tous les communiqués de victoire, il n'y a pas aujourd'hui plus de centenaires, voire même d'octogénaires en « bonne santé » que dans les années 1920. « L'homme est le seul animal qui sait qu'il doit mourir » : la superbe phrase de Malraux décrit bien ce qu'il fallait absolument cacher dans l'Occident de la consommation et de la croissance infinies ; nous étions beaux, bien portants ; un historien comme Philippe Ariès a bien montré comment l'occultation de la mort fut l'une des caractéristiques de nos sociétés en expansion : on ne mourait plus à son domicile, entouré des siens, mais seul à l'hôpital ; les enterrements n'étaient plus synonymes de cérémonie et de retrouvailles, mais d'un cortège de voitures qui emmenait le défunt vers un cimetière désormais construit hors des villes, de manière à être le moins visible. Ce tabou institutionnalisé de la mort amène d'étranges effets. Est-il vrai, comme le soutient Ivan Illich, que « le traitement précoce des maladies incurables a pour seul effet d'aggraver la condition de patients qui, en l'absence de tout diagnostic et de tous traitements, demeureraient bien portants les deux tiers du temps qu'il leur reste à vivre »[1] ?

En tout état de cause se dessine un mouvement de plus en plus important qui prétend qu'il est du devoir et de la responsabilité de chacun de contrôler sa propre mort, comme on devrait contrôler sa vie. Il ne s'agit pas là d'une plaisanterie macabre : ce que disent les militants du droit à choisir le moment et la manière de mourir, c'est qu'il est scandaleux de laisser des vieillards condamnés, des cancéreux terminaux agoniser entre la torture et la salle de réanimation. Ils dénoncent certains médecins qui prétendent à ce sujet parler d'éthique en arguant du fait que la mort est leur sujet et

1. Cité pas Jean-Pierre Dupuy, *Ordres et désordres* (Le Seuil).

qu'ils ont autorité pour en décider. N'est-ce pas, affirment-ils, le comble de l'absurdité que celui qui a vécu toute sa vie dans un corps ne puisse disposer de la fin de celui-ci ? Notre mort n'appartient pas aux spécialistes, mais à nous-mêmes. Et relève de notre libre choix.

Voilà un débat difficile, ô combien délicat, qui mériterait néanmoins d'être porté sur la place publique, comme une preuve spectaculaire que l'Etat n'a plus l'intention de tenir ses administrés en situation d'infantilisme prolongé. Ce débat ne fait que commencer : il ira très loin, et il importe de ne pas se voiler la face sur un sujet qui est inéluctablement au cœur de notre devenir individuel, même si on le confine encore aux couloirs camouflés et aseptisés de la morgue. Cet accès d'hypocrisie pudibonde, nous l'avons rencontré lors de l'annonce de la mort d'Arthur Koestler. Le célèbre écrivain, vice-président de l'association « Exit », militant pour le libre choix de sa propre fin, ravagé par un cancer inguérissable, choisit de mettre son dernier acte en conformité avec ses convictions. Les commentaires qui fleurirent alors étaient caractéristiques de l'état d'esprit dominant : on s'étendait longuement sur les divers engagements politiques de Koestler : le sionisme, la guerre d'Espagne, le communisme, l'anti-totalitarisme, puis sur ses recherches en biologie et en parapsychologie ; trois lignes seulement furent consacrées à sa mort ! Admirable acte manqué : on rend hommage à un intellectuel et à ses luttes, et on fait l'impasse sur son dernier combat. Quels que soient, en effet, les sentiments que chacun peut nourrir sur le sujet, il s'agissait bien, ici, d'un combat politique : Koestler marquait, par sa notoriété internationale, la légitimité du mouvement « Exit ». Tout comportement, on l'a dit, est communication.

Parler de tout, même de la mort. Dans une société info-culturelle ouverte, capable de gérer ses faiblesses et ses affrontements, apte à résister aux tempêtes planétaires, la libre confrontation, relayée et amplifiée par la technologie, permet l'instauration d'un nouveau consensus. Car il existe de tout temps, cet autre consensus du « non-dit » et de l'indifférence, des idées reçues et des démissions entretenues, de la couche-culotte considérée comme moyen de gouverner, du « je m'en foutisme » érigé en droit civique. Sur les relations Est-Ouest, les Pershing et les SS 20, la faim dans le monde, les relations Nord-Sud, existe bien un commun dénominateur implicite : occupez-vous-en et fichez-nous la paix. C'est évidemment à un autre accord que nous en appelons, le seul qui puisse empêcher les guerres civiles de demain et les guerres totales d'après-demain, consensus dynamique né de l'aboutissement d'ententes argumentées et de confrontations inventives, et non de leur occultation aveugle !

L'autre vertu de ce « grand rassembleur commun » ainsi créé, c'est qu'il permettrait au pouvoir de se servir, une fois de plus, de la métaphore politique, élément indispensable de nos stratégies. Soit une conférence des sages sur la paix et l'indépendance de l'Europe, et sur le déséquilibre Nord-Sud qui, à terme, menace cette paix singulièrement plus que l'affrontement des nantis de l'Est et de l'Ouest. En se servant de ces thèmes, l'homme d'Etat militerait pour la responsabilité réciproque des êtres à tous les échelons du social. Eclairant sur la pauvreté dans le monde et les certitudes de déstabilisation qu'elle entraîne, il inciterait analogiquement à reconsidérer l'équilibre intérieur de la nation. Il prendrait à revers corporatismes professionnels et égoïsmes partisans. En s'engageant directement — et en engageant son pays, par le biais de l'info-culture —, il rendrait à l'Etat cette fonction que nulle autre institution ne peut exercer à sa place : faire l'Histoire.

CHAPITRE XII

Le Paradis, c'est les autres

Faire l'Histoire, est-ce encore possible pour un Etat-Nation entré sans espoir de retour dans la Cité Globale ? Nous essaierons de montrer que c'est indispensable à la survie même de l'idée France. Auparavant, balayons quelque peu devant notre porte. Ces tentations nationales-protectionnistes qui ravagent encore quelques esprits, aussi bien dans notre camp qu'au parti socialiste (sans évoquer les communistes, prêts à bâtir des murs de Berlin sur toutes les frontières de l'Hexagone, afin de « produire français »), faut-il encore en montrer la nocivité ? Certains qui se sont justement effrayés du fait qu'en 1982, nos importations aient augmenté de 14,4 % alors que nos exportations ne croissaient que de 9,9 % (soit, en volume, une baisse de 2 %) voudraient que l'on adopte des mesures radicales. Il s'agirait, en invoquant l'article 108, paragraphe 3 du traité de Rome, de demander l'accord de la CEE sur l'établissement d'une clause de sauvegarde limitant l'importation des produits sensibles et sur l'obligation pour les importateurs d'introduire un dépôt préalable en devises auprès de la Banque de France, non productif d'intérêts, égal à 50 % des importations projetées. Ce dépôt serait d'une durée de six mois et la clause de sauvegarde serait applicable pour une durée équivalente, ce qui permettrait de freiner les importations pendant un an. Par ailleurs, on supprimerait tous crédits aux importateurs, ce qui obligerait leurs fournisseurs à leur accorder des échéances (ce que nos clients étrangers exigent d'ailleurs de nos propres exportateurs) ; les importations d'énergie, de biens intermédiaires et d'équipements resteraient libres de toute contrainte.

Tout cela paraît procéder d'une politique de défense des intérêt français dont on ne peut nier la sincérité : mais elle est, en fait, sincèrement désastreuse. Outre que le traité de Rome prévoit, à tout moment, des conditions de révocation de ces mesures, et un contrôle du Conseil Economique Européen sur les modalités de leur application (voilà pour l'indépendance), il paraît hautement improbable que nos partenaires puissent cautionner juridiquement une politique de restriction. Une « mise entre parenthèses » européenne serait inévitable. Même si des contacts politiques permettaient, dans un premier temps, de limiter les mesures de rétorsion, nous serions privés de tout soutien en politique agricole et pour la tenue de notre monnaie. Est-il besoin de décrire les conséquences évidentes d'un retrait — même provisoire — de l'Europe ? Sortie du SME et dépréciation importante du franc alourdiraient mécaniquement et instantanément le déficit de notre commerce extérieur. Cet équivalent d'un mini-choc pétrolier entraînerait un recul catastrophique de l'idée européenne, un abaissement massif du pouvoir d'achat et la stagnation de l'industrie française qui ne comblera pas en six mois — ni même en un an — ses défaillances de compétitivité. Sans compter l'impact psychologique qu'aurait pareille mesure sur nos partenaires étrangers. Tomber dans le syndrome protectionniste serait aujourd'hui aussi grave que nous engager dans une nouvelle guerre d'Algérie. Il ne faut pas oublier que la production française est en partie dépendante de sociétés étrangères : 28 % de notre industrie manufacturière sont contrôlés par des capitaux étrangers. Qu'allons-nous leur demander ? De plier bagages ? « La France aux Français » peut constituer un bon slogan électoral à Dreux ou dans le XXe arrondissement de Paris ; il est hélas inepte comme base d'une stratégie économique.

Nous sommes en économie-monde et, depuis le 5 août 1945 à Hiroshima, nous sommes en politique-monde. Ce jour-là, nous avons signé un contrat global avec le risque. Il me souvient d'avoir vu, au cours d'un film historique dont le titre m'échappe, une séquence qui m'avait frappé. Deux troupes adverses sont massées de part et d'autre d'un pont qui enjambe un fleuve coupant la ville en deux. Les citadins, de chaque côté du fleuve, comprennent que l'objectif des armées en présence est d'occuper le pont, non de le détruire. Le cinéaste montrait — talentueusement — que la ville allait être entièrement rasée et ses habitants tués, mais que le pont, on n'y toucherait pas... La caméra suivait une vieille femme qui ne voulait pas voir ces préparatifs. Elle vaquait à son marché, machinalement, entre un somnambulisme hagard et de vagues éclairs de lucidité. La métaphore cinématographique illustrait bien l'enjeu : les seigneurs féodaux du Nord sommeillent benoîtement dans la soie tandis que, de l'autre côté du pont, les armées faméliques du Sud campent dans l'impatience du partage des richesses. Ce pont intouchable, c'est l'économie : que crèvent les particularismes culturels, pourvu que le marché continue de fonctionner !

Et si la plèbe récalcitrante s'avance un peu trop loin sur le pont, il nous reste la bombe à neutrons. Il est devenu de notoriété publique que l'écart entre les riches et les pauvres ne fait que s'accroître, que l'aide des grandes puissances aux pays du Tiers-monde consiste essentiellement dans l'implantation d'industries accentuant encore ce déséquilibre. On a exporté la monoculture industrielle intensive dans des pays situés à des milliers de kilomètres, pour le plus grand bonheur des propriétaires fonciers. Quant aux paysans chassés de leurs terres, ils n'eurent plus qu'à aller grossir le lumpenprolétariat de mégalopoles rendues ainsi, pour les années à venir, littéralement explosives. La technostructure multinationale a tué l'économie de subsistance, la consommation et la production artisanales, fruits de pratiques séculaires. Privées de leurs terres et de leurs cultures, les tribus du tiers-état planétaire n'arrêtent plus de se révolter, ou, plus souvent encore, de crever de faim, ce qui donne des images poignantes à la télévision et quelques motifs d'insomnie aux décideurs politiques. Non que ceux-ci puissent être accusés d'humanisme excessif mais, dans seize ans, 90 % de la population du globe se situera là-bas, dans ce qu'on appelle le Tiers-monde. Cela peut donner à réfléchir.

Chaque fois qu'une conférence tiers-mondiste s'enlise dans d'interminables palabres, chaque fois que les magnats du pétrole n'arrivent plus à s'entendre sur le prix du brut, l'Occident pousse un soupir de satisfaction : Dieu merci, nous avons gagné une semaine de tranquillité supplémentaire, ces sous-développés n'arriveront jamais à s'entendre, ils n'auront jamais la maîtrise suffisante. Je suis de ceux que ne réjouissent pas outre mesure les dissensions au Tchad, la guerre en Angola, la situation en Afrique du Sud : rien ne fera que la déstabilisation du Tiers-monde ne devienne, à terme, l'un de nos problèmes *intérieurs*. Et, au risque de faire bondir d'indignation certains lecteurs, je dirai que le colonialisme à l'ancienne était bien mieux adapté, malgré ses exactions, aux pays où il s'exerçait, que nos modernes technocraties néo-colonisatrices. Certains conquistadors d'Afrique n'hésitaient pas, quelquefois, à se négrifier. Les Français, et surtout les Portugais, se métissaient. Quand on demandait à Salazar quel était le secret de longévité du colonialisme portugais, il répondait : « Le lit ! » En revanche, les Anglais pratiquèrent avec orthodoxie le chacun-chez-soi. Il leur était indifférent que les peuples qu'ils colonisaient pratiquassent des rites « barbares », que les cadavres débordassent du Gange, vinssent s'entasser dans des tours embrasées où les oiseaux continuaient à les dépecer, que les femmes fussent excisées dès leur naissance au Ghana ou au Nigéria : chaque tradition y trouvait son compte, sous la noble férule de l'Empire.

Nous ne verserons pas ici de larmes nostalgiques sur le bon vieux temps des colonies où petits Noirs et petits Arabes communiaient dans le culte de leurs ancêtres aux cheveux blonds et aux yeux bleus. Nous voulons simplement évoquer l'étroit rapport qui pouvait unir, parfois, le conquérant et les représentants des cultures autochtones. Ce rapport, qui n'a empêché ni les atrocités ni parfois le génocide culturel, est né de la base même de l'éthique occidentale, c'est-à-dire d'un des postulats religieux qui fondent le christianisme : que fais-tu de l'Autre ? L'écrivain Tzvetan Todorov est l'un de ceux qui ont le mieux montré cette particularité de notre civilisation[1]. Il a décrit comment la question de l'Autre fut liée à la conquête de l'Amérique ; comment la puissance conquérante, procédant par curiosité, puis par compréhension des différences, construisit ses stratégies en fonction de ce processus : « Le missionnaire suit le soldat, écrit-il ; sa fonction est de comprendre, puis de convertir. » Le missionnaire se mêle aux « infidèles » : il est parfois dévoré, il lui arrive de trahir son camp et de

1. *La Conquête de l'Amérique*, par Tzvetan Todorov (Le Seuil).

prendre fait et cause pour les colonisés, mais ce ne sont là que des exceptions qui confirment le succès de l'entreprise. Cette attitude du colonisateur-missionnaire, on la retrouvera plus tard chez les conquérants du second Empire et leurs descendants ; les « anciens » d'Indochine, d'Afrique du Nord, d'Afrique noire ou de Polynésie se caractérisent tous, quand on les rencontre en métropole, par leur comportement d'exilés. Ils sont en effet revenus avec des manies, des goûts, des modes de vie adoptés sous d'autres cieux ; des années plus tard, à Paris, à Marseille, à Nice, à Lyon ou ailleurs, ils ne se sentent bien que dans ces microcosmes culturels du métissage où ils ont grandi et vécu, en un temps et un lieu pour eux à jamais révolus.

Les guerres d'indépendance ont déstabilisé les anciennes structures. Dans la plupart des pays du Tiers-monde « libérés », de jeunes arrivistes sans scrupules ont pris la place des anciens « collabos » ; les notables corrompus et vétustes furent remplacés par une bourgeoisie nationale aussi mercantile qu'efficace, ayant pour principale préoccupation de faire monter les enchères des sociétés d'exploitation de l'ancienne métropole. Si bien que nous en sommes arrivés à ce paradoxe savoureux d'ex-colonies politiquement indépendantes, mais endettées, exploitées et superbement désagrégées par l'adoption du modèle de développement industriel de leurs anciens occupants. A travers les signes plus ou moins dédorés du drapeau, du passeport et du siège à l'ONU, s'exercent les marchandages entre URSS et USA, les trafics d'armes et d'influences, les révolutions de palais, les répressions sanguinaires contre des peuples qui se demandent encore quand elle va venir, cette foutue indépendance ! Et ce ne sont pas les grandes conférences des « damnés de la terre » du style Bandoeng, la Havane ou New Delhi qui ont réglé le problème, bien qu'elles aient aidé à la prise de conscience accrue d'une nécessaire solidarité, envers timidement positif de la tragique dépendance de toutes ces nouvelles nations.

A ces nouveaux riches des anciennes colonies qui ne songent qu'à augmenter leur compte en banque en faisant suer le burnous avec au moins autant d'appétit que nos ancêtres colonisateurs, correspondent en Occident ces nouveaux techniciens qui vont vivre six mois sur les champs pétrolifères du Sahara ou du Koweit et qui s'embarquent de Toronto ou de New York dans des avions spécialement affrétés ; leur monde les suit, dans tous les sens du terme, selon la saine technique des « rangers » américains au Vietnam ou des occupants soviétiques en Tchécoslovaquie. Ils vivent dans des camps climatisés et aseptisés, loin de tout contact avec les autochtones, dont ils ne rencontreront que ceux qui font partie du personnel d'entretien. Les enfants vont dans des écoles suréquipées, les femmes jouent au bridge et se projettent des vidéo-cassettes. Les navettes spatiales peuplées d'êtres humains existent déjà bel et bien sur les orbites dûment balisées de ce qu'on appelle pudiquement les « échanges internationaux ». Il n'y a pas lieu ici de porter un jugement de valeur, mais de constater un fait de culture qui n'en est qu'au début de son développement, compte tenu des lois de l'économie planétaire.

Définition de l'Occident moderne, qu'il soit américain ou soviétique : « Nous sommes partout chez nous. » Rien n'incarne plus éloquemment cet état d'esprit que le Club Méditerranée, maquette grandeur nature du rêve américain, génialement associé, pour une fois, à l'utopie « communiste ». Le Club est une base spatiale, un satellite lunaire : dans toutes les acceptions du terme, l'expression la plus achevée du néo-colonialisme occidental. Du pays entourant la surface du Club, on ne connaît que le décor : les palmiers de l'île Maurice, le lagon de Tahiti ; l'exotisme est une matière première dont le traitement requiert des soins subtils : aucune pollution ne doit en ternir l'image, aucun coup de pistolet dans le concert... on est entre nous ! Ici, comme dans les bases technologiques du Sahara ou de Libye, on ne connaîtra des habitants que le personnel d'entretien et les danseurs folkloriques... Côté « marxiste », on pourrait évoquer le mythe de l'argent aboli, l'illusion de l'autogestion des loisirs, l'égalité de la table d'hôte, l'abandon des oripeaux sociaux et autres amusantes parodies de l'utopie libertaire. Formidable planification mondiale, aseptisée, optimiste, standardisée. Je m'en voudrais de faire de la peine, même légère, à Gilbert Trigano, homme de bonne compagnie et progressiste de surcroît ; mais son Club aurait pu être conçu par Rockefeller en personne, tellement il incarne l'essence du concept américain :

celui-ci n'implique-t-il pas que chaque citoyen du monde libre devrait pouvoir manger ses œufs au bacon à la Mecque si ça lui fait plaisir ?

Effectivement, pourquoi ne nous ferions-nous pas plaisir ? Aussi n'est-ce point après le Club Méditerranée que j'en ai, mais après une forme de douce schizophrénie qui ne peut, malgré toutes les bonnes intentions qui la sous-tendent, nous aider beaucoup à comprendre l'Autre. Or, ce rôle, la France doit être en mesure de le revendiquer. « Comprendre l'Autre », posé en termes économiques, cela veut dire : que puis-je encore vendre à l'Autre ? quelles sont nos marchandises exportables, qu'elles soient matérielles ou culturelles ? Nous devons être attentifs par nécessité : jouer avec les autres, ou nous éteindre à petit feu.

Or, notre patrimoine européen possède cette valeur essentielle qui nous a, on l'a vu, beaucoup servi dans nos conquêtes d'hier : le pouvoir d'observation et de compréhension. Nous avons étendu notre éthique aux dimensions de la planète, grâce à la civilisation chrétienne puis à celle des droits de l'homme. Aujourd'hui, nous devons y ajouter la vertu d'adaptation, afin de maintenir notre rang dans un monde fluide, souple, mobile et sans boussole. Nous n'y sommes plus seuls : on n'attend plus nos produits la bouche ouverte et le portefeuille béant ; un extraordinaire brassage culturel, artistique, éthique et commercial est en train de s'opérer ; si les Français doivent encore y participer, notre rôle est d'ouvrir le jeu. Le plus largement possible.

Nos concitoyens chéris peuvent évidemment refuser de jouer. Les grands devoirs ne s'imposent que par des chemins « qui parlent de l'intérieur ». L'aménagement de l'intérieur — il est amusant de le constater — est, au sens étymologique, la signification première du mot économie. Personne ne nous impose d'être compétitifs, fiers de notre culture, de notre savoir-faire et de notre savoir-vendre. On peut fort bien concevoir l'aventure européenne comme terminée, et passer la main. Nous mangerons des hamburgers américains dans des bols importés de Hong-Kong, avec les couverts en argent hérités de grand-mère. D'ailleurs, nous avons déjà commencé... Il nous restera toujours, pour attirer le touriste, le foie gras et le Mouton Rothschild. Quoi ! Avec un peu de chance, nous pouvons espérer devenir Monaco. Il ne nous restera plus qu'à rétablir la royauté, et faire du pays une zone franche. Le problème, c'est que nous n'en avons même pas les moyens : la baisse du niveau de vie qu'entraînerait la démission de la France serait difficilement supportée par les enfants gâtés de l'Etat-Providence : les déshérités de Paris sont des princes arabes, si on les compare à leurs homologues de Bombay et de Calcutta. Nous n'aurons même plus la porcelaine de grand-mère : nous devrons la vendre à un riche Coréen.

Que l'on se rassure : nous sommes très éloignés de ces perspectives cauchemardesques. Si la France a quelques problèmes d'endettement et de déficit, les Français, eux, ont une mine superbe. Depuis 1970, leur consommation a progressé de 4 % en volume chaque année, soit une augmentation de 45 % par habitant en douze ans : elle se situait, en 1982, à 65,8 % du PIB. Alors qu'en République fédérale allemande, la consommation des ménages s'est stabilisée, depuis douze ans, à environ 60 % du PIB. Les Français sont ceux dont les revenus ont été les moins frappés par la crise (+ 25 % en moyenne en francs courants depuis 1981), à la différence des Allemands, des Anglais, des Belges et des Hollandais qui ont tous connus, depuis 1970, des amputations sérieuses de leur pouvoir d'achat. Nous pouvons encore, pour quelque temps, nous offrir cette merveilleuse statuette dogon aperçue en salle des ventes, ou ce paravent chinois qui fera si bien dans notre salon. Mais cette surconsommation n'arrange pas le déficit de notre commerce extérieur (93 milliards de francs en 1982, dans les 60 milliards en 1983) ni notre dette extérieure qui atteint la coquette somme de 400 milliards de francs [1].

A part ça, tout va très bien, Madame la Marcrise [2] : la CGT, par la voix du suave Krasucki, continue bravement de demander des réajustements de salaire. Or, que vient donc d'écrire dans le dernier numéro de la revue *Kommounist* Youri Andropov, secrétaire général du parti communiste soviétique, notre vénéré maître à penser ? « L'augmentation des

1. Certes, les pays en voie de cessation de paiement nous doivent quelque trois cents milliards. Mince consolation.

2. J'emprunte l'expression à l'excellent numéro d'août 1983 de la *Quinzaine littéraire*.

salaires qui, dans un premier temps, produit une impression favorable, exerce en fin de compte une influence négative sur l'ensemble de la vie économique. Elle engendre une augmentation de la demande qui ne peut être totalement satisfaite, empêche l'élimination des déficits et de leurs conséquences monstrueuses contre lesquelles les travailleurs s'indignent à juste titre. » Si le révolutionnaire Andropov se met à parler comme le social-traître Delors ou comme Barre, ce valet du Capital, où allons-nous ?

Restent les paramètres du consensus : la France doit tout faire pour redevenir compétitive sur le marché mondial, et tout doit être subordonné à cet objectif. Or, on ne cesse d'évoquer des solutions quantitatives : aides aux entreprises, baisse ou non du taux d'intérêt qui ferait gagner dix milliards de francs par point, allègement des charges, subventions tous azimuts. Ces mesures sont, pour partie, nécessaires. Mais on évoque beaucoup moins l'arme qualitative, celle qui fut et reste à la base de toutes les conquêtes : la confrontation de sa propre culture avec celle des autres, par la connaissance, la compréhension, l'adaptation.

Il faudrait tout de même que l'on finisse par sortir du XIXe siècle : la culture française, aujourd'hui, n'a rien à voir avec quelques histrions mégalomanes qui prennent leurs mictions imprimées pour autant de sermons sur la montagne, péripatétitiennes ayant racolé sur tous les trottoirs du prêt-à-penser, vestons élimés à force d'avoir été retournés dans tous les sens... La culture, ce sont d'abord ces chercheurs qui travaillent dans le silence et la convivialité, ces écrivains qui essaient, dans un farouche corps à corps avec les mots, de traquer au plus près la connaissance par les gouffres ; la culture, ce sont aussi les dizaines de milliers d'hommes et de femmes qui s'essaient à des projets fous, à de nouvelles entreprises, à réapprendre la technique, à « réhabiter en poètes » leur pays[1] ; la culture française, aujourd'hui, ce sont les ingénieurs qui ont conçu les formes du « Car » de chez Renault ; les fabriquants du « boursin » ail et fines herbes ; un homme comme Pierre Cardin qui, si les socialistes avaient du bon sens, aurait dû devenir conseiller spécial du ministre du Commerce Extérieur. Cardin est de ceux qui ont su vendre une image de la France aussi séduisante pour des Mexicains que pour des Chinois ou des Scandinaves ; qui ont su croître et prospérer dans l'interface de la culture et de l'économie ; qui savent que la véritable richesse d'un pays moderne réside dans sa capacité à comprendre la culture des autres, pour y introduire la sienne propre par l'intermédiaire de produits accessibles et « consommables » par tous, sous toutes les latitudes. Elégance, beauté, goût, bien boire, bien manger, bien vivre sont aussi des armes économiques. Ces valeurs, qui font partie de la tradition française, correspondent aux aspirations de millions d'habitants de la planète. Encore faut-il y porter une véritable attention.

1. Selon la belle expression de Thierry Gaudin.

La leçon du Japon, de ce point de vue, est exemplaire.

Dans les années cinquante, les jeunes gens et les jeunes filles modernes se déplaçaient sur un engin à deux roues, pas cher, solide et plein de fantaisie : la Vespa. Certains se rappellent encore Gregory Peck pétaradant gentiment avec Audrey Hepburn dans *Vacances romaines*. Puissance mythologique du cinéma : quelques années plus tard, Marlon Brando et son « équipée sauvage » précédaient de très peu l'invasion des grosses cylindrées : Honda, Kawasaki ; Bardot n'avait besoin de personne en Harley Davidson... Ce fut le délire · chevauchées infinies du fils de cadre moyen qui se prenait pour un Ange de l'Enfer en allant jouer, chaque dimanche, *Easy Rider* sur l'autoroute. Les petits formats, y compris Solex, ne s'en relevèrent pas. Puis, à la fin des années 70, surprise : la mode rétro effectue une percée très remarquée. Les Vespas et autres Lambrettas ressortent des caves. Le fabriquant italien est submergé de commandes, mais son agressivité commerciale avait vécu. Qui, en revanche, était là, le nez au vent, humant les modes et les mythes européens comme un bon chien de chasse ? L'honorable Monsieur Honda en personne. Ses envoyés spéciaux avaient tout à fait compris la sainte alliance de la culture et de l'économie ; en bons citoyens planétaires, ils savent qu'*un symbole amoureusement caressé au pied d'une HLM de Suresnes peut déclencher une nouvelle chaîne de production à Yokohama*. Résultat ? Nous assistâmes, bras croisés, au déferlement des scooters japonais sur le marché européen ! Belle leçon : en moins de cinq ans, les managers japonais avaient analysé nos besoins, saisi les nouvelles aspirations, et s'étaient mis au travail. Le jour où des fabriquants français inonderont le marché japonais d'un nouveau modèle de walk-man que s'arracheront les citoyens de Tokyo ou de Kyoto, ce jour-là sera à marquer d'une pierre blanche : force nous est d'avouer que nous ne pouvons prendre aucun pari...

Après avoir passé leur temps à imiter, les Japonais se sont mis à créer des appareils plus performants, mieux dessinés et surtout moins chers. Ils en arrivent à savoir, mieux et plus vite que nous, ce dont nous avons envie. Et nous trouvons cela normal, alors que, toutes affaires cessantes, des milliers de Français, non seulement voyageurs de commerce, mais aussi créateurs et chercheurs, devraient sillonner le monde pour écouter, confronter, et — pourquoi pas — copier. Nous devons retrouver la démarche active des missionnaires du XVIIIe siècle, doublée d'une conscience aiguë des interconnexions du Village Global. L'un des devoirs de l'Etat serait donc de s'assurer qu'une partie des subventions accordées aux entreprises se traduise obligatoirement en échanges culturels, en colloques spécialisés, expositions et séminaires d'apprentissage des technologies étrangères. Certes, cela se fait déjà ; mais il faudrait une mobilisation nettement plus active, en utilisant là aussi les relais médiatiques de la société info-culturelle. Il s'agit non seulement d'envoyer des milliers de commandos dans les pays qui ont des choses à nous apprendre, mais de diffuser, dans les multiples réseaux câblés que comptera bientôt la France, des émissions sur l'économie, la culture et la vie quotidienne de ces pays. La densité du réseau télévisuel d'information-formation n'est pas seulement nécessaire à l'expression des désirs, de la politique de l'Etat et de la recherche du consensus : elle est également indispensable à l'agressivité économique d'un pays, autant que le furent pour la France le percement des canaux et la construction du chemin de fer. *Dallas* et *L'Empire des sens*, en dépit de tous leurs attraits, ne suffisent peut-être pas à la connaissance utile des USA et du Japon d'aujourd'hui ; où sont les cassettes achetées par le ministère de l'Education nationale et projetées dans les lycées ?

La connaissance de l'Autre passe également par l'utilisation des outils informationnels que nous n'avons même pas su produire à l'échelle européenne (le fait que Thomson n'ait pu s'entendre avec Grundig est tristement probant) et encore moins, évidemment, à l'échelle française. Récemment, je voulais offrir à l'un de mes amis, âgé de 80 ans, un radio-téléphone à faible portée, engin léger et fort utile puisqu'il permet, en mémorisant un certain nombre de numéros, d'obtenir, sur pression d'une simple touche, un appel aux pompiers, à la police ou à SOS médecins ; appareil donc utile pour les personnes du 3e ou du 4e âge, s'il leur arrive un accident ou un malaise dans leur jardin ou leur salle de bains et qu'ils soient alors dans l'impossibilité de se déplacer jusqu'au téléphone. Je me suis rendu dans six magasins différents, où l'on m'a fait la même réponse : ces appareils ont été contingentés — protectionnisme oblige — et on ne les trouve plus sur le marché. Je demandai alors s'il existait un appareil similaire de fabrication française : je vous laisse deviner la réponse. Il est idiot de priver les personnes âgées d'un perfectionnement technique d'une utilité incontestable pour elles ; il est inadmissible que l'industrie française ne soit pas en mesure de fournir la même prestation. Vingt ans d'imprévoyance et de « grandeur » ont passé par là.

Autre arme non négligeable d'une politique-Histoire, et qui serait puissamment aiguisée par les outils de la société info-culturelle : la francophonie. Certes, Radio-France internationale fait du plutôt bon travail ; de temps à autre, un congrès des télévisions francophones nous rappelle que le Canada existe, et l'Afrique, et l'Océanie. Mais il y aurait lieu d'aller plus loin dans cette démarche économico-culturelle qui nous paraît la plus sûre garante de notre survie : s'intéresser à la Guyane autrement que comme aire de lancement de la fusée Ariane ; installer une puissante station émettrice à Saint-Pierre ou à Miquelon, qui diffuserait des programmes radiophoniques couvrant le Nord-Est des Etats-Unis et la totalité du Québec, informant ainsi les citoyens de la Belle Province et les francophiles US (ils ne sont pas négligeables), 24 heures sur 24, de ce qui se passe en France et faisant une publicité intelligente des produits français ; ne pas laisser mourir Téléfrance, l'unique canal francophone de New York, qui touche plusieurs centaines de milliers de téléspectateurs américains...

Dans cette guerre planétaire des signes qui conditionnent la puissance économique, nous disposons d'un atout majeur : les 150 millions d'êtres humains qui, à travers le monde, parlent français ; nous nous comportons à leur égard comme des mammifères d'arrière-garde qui regardent, avec un cynisme repu, passer le train des nouvelles mythologies exportables. A ces millions de personnes, nous n'avons pas su proposer un seul mythe, une seule aventure à partir de laquelle ils eussent pu rêver de la France. Quand « E.T. » l'extraterrestre veut communiquer avec les Terriens, c'est évidemment un petit Américain qu'il choisit. Goldorak est japonais. La science-fiction en images, qui fait rêver tous les petits enfants de la planète, nous est-elle définitivement fermée ? Le futur ne se conjuguerait-il plus en français ? Notre incapacité actuelle à créer des héros planétaires qui peupleraient les espaces bénis de l'émerveillement me paraît de mauvais augure.

Cette guerre des signes, l'Amérique l'a évidemment gagnée. Il suffit de se promener quelques minutes aux abords de la Place Rouge, à Moscou — je m'y suis trouvé naguère avec mon fils —, pour se faire aborder par quelques jeunes prêts à échanger un nombre impressionnant de roubles contre des devises, mais cherchant surtout à se procurer jeans, chewing-gum, stylos à bille et disques de rock and roll. L'hégémonie américaine n'est pas, comme le pensent quelques communistes attardés et certains nationalistes préhistoriques, le fruit d'une conspiration diabolique ourdie à Wall Street, mais celui du consensus planétaire qu'elle a su opérer parmi la jeunesse. Ainsi la petite Bretonne, militant dans un mouvement autonomiste, portera le même Levi's que son amie occitane de Montpellier. L'adhérent du groupe Union-Droite de la faculté de droit d'Assas n'hésitera pas à se nourrir au même fast-food que l'étudiant trotskiste de Tolbiac. La célèbre photographie du petit Chinois buvant un coca-cola sur la Grande Muraille conforte, à sa manière, le mythe de l'universalité made in USA. Cela n'a rien à faire avec la politique : après avoir violemment manifesté contre les intentions agressives de Reagan, le jeune pacifiste et sa petite amie écouteront avec délices les Beach Boys. L'opposant chilien à la dictature de Pinochet trouvera encouragement et plaisir aux chants de Joan Baez ou Bob Dylan. Dans cette guerre des signes, l'Amérique a évidemment écrasé l'URSS. Celle-ci a pu provoquer des conduites de haine ou de passion suscitées par son histoire : Octobre 1917, Stalingrad, puis — en sens inverse — le Goulag. Elle s'est avérée incapable de produire un seul mythe rassembleur aux yeux du monde, qui puisse se traduire en termes d'économie de marché. On achète des mitrailleuses Kalachnikov pour accélérer l'avènement d'un autre régime, d'un autre pouvoir, peut-être d'un autre totalitarisme ; si on achète des jeans, c'est pour accéder au statut lénifiant de la modernité.

A l'Est du monde[1], à leur tour, les petits enfants de l'Amérique et de l'Asie grandissent, grandissent. Dans le Los Angeles du film *Blade Runner,* dont l'action se déroule en l'an 2019, on ne voit que de gigantesques placards publicitaires écrits en japonais et en chinois. Singapour, Taïwan, Hong Kong et la Corée du Sud se fraient un chemin de plus en plus lumineux dans la guerre des marchés. Mais ne rêvons pas, et n'oublions pas, dans cette fulgurante ascension des « nouveaux pays industriels », l'envers du décor : « Quand Sony fait réaliser à Taïwan le montage de ses circuits intégrés, ou que Thomson-Brandt les fait fabriquer à Singapour, ils profitent avant tout d'une main-d'œuvre qui coûte environ dix fois moins cher qu'en banlieue parisienne. Dans les filiales du groupe Philips, en octobre 1979, le coût horaire de la main-d'œuvre était de 100 pour la France, de 15 à Taïwan, de 16 à Singapour et de 139 aux Pays-Bas (pays du siège social du groupe)[2]. » Ce n'est pas un hasard si Saint-Gobain et Michelin ont chacun 58 % de leurs effectifs employés à l'étranger, ce n'est pas non plus la menace économique qui nous importe ici. Menace, d'ailleurs, exagérément gonflée : 4 % seulement des importations françaises de produits manufacturés proviennent du Tiers-monde, alors que

1. Pour reprendre le titre du très intéressant livre d'Etrillard et Sureau (Fayard).

2. *La Crise,* par Denis Clerc, Alain Lipietz, Joël Satre-Buisson (Syros)

celui-ci absorbe, depuis dix ans, 35 % de nos exportations en biens d'équipement.

Tant pis pour les gardiennes du Temple : la culture, aujourd'hui, c'est l'invention des signes et des mythes qui susciteront à leur tour des goûts, des besoins et donc des marchés. Il est bon d'inviter à l'Elysée des entrepreneurs performants, et d'organiser des expositions « Euréka » à Beaubourg, mais cela ne suffit pas. La machine à rêves française doit recommencer à tourner vite.

L'Etat pourrait trouver un bon exercice de légitimité à fomenter une mobilisation générale sur tous les terrains possibles. Rouler français à l'étranger, est-ce tellement plus bête que de rouler en Toyota ou en Cherokee ? Aimer manger français, serait-ce plus aberrant que d'aimer un bon hamburger ? La qualité et l'élégance de certains produits français sont-ils si répandus que l'on pense en avoir épuisé les débouchés ? Il y a, dans tout cela, place pour un immense jeu culturel et créatif où les plus doués s'exerceront à aller au bout de leurs fantasmes innovateurs. C'est là que nous retrouvons l'un des rôles essentiels du nouvel Etat info-culturel : celui de banquier, autrement plus efficace pour notre avenir que sa vieille et désormais impossible défroque providentielle.

Une Banque de l'Initiative centralisera tous les projets auxquels seront accordés des prêts, en fonction non seulement de leur intérêt artistique intrinsèque, mais également de leur « rentabilité » culturelle, conviviale et — pourquoi pas — économique... L'avantage de cette banque serait de renforcer le sens de l'initiative, d'encourager des projets intéressants qui auraient peu de chance (du fait des risques à courir) d'être soutenus par des capitaux privés Par son action, — puissamment répercutée par les médias — la Banque pourrait inciter à la création de sociétés du type de celles des « capitalist-ventures », déjà évoquées. La tradition d'audace financière dans l'investissement n'étant pas précisément une qualité française, il appartiendrait à l'Etat de fournir le coup de pouce nécessaire aux utopies juteuses. Ainsi, d'un côté, on encourage fortement l'esprit d'entreprise ; de l'autre, par le canal des réseaux informationnels, on donne à tous une possibilité de participer à l'aventure créatrice : belle métaphore d'un nouveau consensus socialo-libéral...

De plus se modifierait ainsi considérablement l'image d'un Etat apparemment irresponsable des subventions qu'il octroie. Il importe de dissiper la conviction populaire selon laquelle les mannes gouvernementales sont versées uniquement en fonction du copinage, des intérêts politiques ou, pire encore, à ceux qui ont la chance d'être là au bon moment. Un Etat examinant tous les projets bien construits dont les objectifs de rentabilité pourraient être étudiés et contrôlés en permanence, fera plus pour éveiller le sens des responsabilités que n'importe quelle propagande onéreuse, ou que ce saupoudrage plus ou moins charitable qui symbolise bien l'ancienne insouciance gaspilleuse de la société de croissance. L'Etat-banquier, par une ouverture sans restriction aux projets d'où qu'ils viennent, permettrait l'émergence de groupes sociaux nouveaux dans le champ de l'économie active : à partir du moment où seront à la fois pris en compte la richesse éducative de l'expérience entreprise, ses retombées culturelles ainsi que les bénéfices financiers escomptés, l'on pourra assister aux noces incongrues, parfois inconvenantes, mais riches de potentialités, de l'Etat et de l'économie informelle, des fonds publics et des biens privés.

Le danger, évidemment, existe de retomber par des voies détournées dans le piège de l'Etat-Providence. Il importe donc que la Banque de l'Initiative fixe précisément, dans ses discussions avec les créateurs et les entrepreneurs, les limites de participation financière qu'elle ne dépassera pas, ainsi que les conditions de sa collaboration, en tant qu'actionnaire très présent[1]. L'Etat, de mécène qu'il était, deviendrait partenaire exigeant. Plus de cachotteries (ou le moins possible), plus de trafics d'influences politico-sexuels (ne rêvons pas, il en restera toujours quelques-uns) ; mais des discussions, à télévision ou radios ouvertes, qui mettraient face à face les représentants de la Banque (ou, évidemment, de ses branches régionales, départementales et communales) avec les mille-et-un entrepreneurs des deux France sur lesquelles nous pouvons compter. Nous entendons, par ce

1. Il sera hors de question, par exemple, que l'Etat rembourse les autres participants au projet en cas de faillite de l'entreprise. Il serait trop facile de trouver des partenaires persuadés qu'en cas d'échec, l'Etat, de toute façon, paiera les pots cassés. Responsabilité, responsabilité chérie...

binôme, inclure aussi bien les classes moyennes et le terroir dit « conservateur » et « traditionaliste » de la France profonde, que les couches marginalisées de la France des alternatifs, des immigrés, des jeunes, des chômeurs : la France plurielle.

La France profonde est riche d'un savoir et d'une culture exportables et rentables. Les arts et traditions populaires sont devenus des curiosités de musée, alors qu'ils pourraient agir efficacement sur la scène économique. Certains outils, utilisés il y a encore quelques années par nos paysans, seraient autrement plus performants, dans le cadre de l'économie de subsistance qui est encore (ou devrait redevenir) celle de nombreux pays du Tiers-monde, que des tracteurs importés à grands frais et qui ne servent à rien. La vente de nos vins et de nos parfums — produits « traditionnels » s'il en est — a rapporté, en 1982, un excédent commercial de 10,4 milliards de francs...

Autre exemple de ce que peut faire la France profonde : la télévision diffusait, il y a quelques mois, un reportage sur une famille de spécialistes, depuis cinq générations, en charcuterie fine. L'Amérique libérale de Reagan a posé (protectionnisme déguisé oblige) des conditions draconiennes à l'importation des produits alimentaires, en interdisant entre autres l'entrée des saucissons étrangers, sous prétexte d'hygiène. Qu'a donc fait la famille pour forcer le blocus ? Le grand-père a découvert un procédé particulier de stérilisation qui permet de mettre les charcuteries... en boîte ! Le petit-fils, passionné d'informatique, se charge de la gestion de l'entreprise familiale, qui voit désormais ses exportations vers les USA grandir chaque année. Belle image de souplesse, de créativité et d'adaptation, qui n'est pas unique ; la France du savoir-faire existe, il est temps qu'elle rencontre la France aventurière pour des alliances imprévisibles et hautes en couleurs. A l'Etat d'aménager les espaces de confrontation.

Il n'est, en effet, que de lire des magazines comme *Actuel* et *Autrement* pour s'apercevoir à quel point la France fourmille d'idées et de projets, les uns farfelus, les autres passionnants, qui dénotent en tout cas une immense envie d'agir hors des vieux carcans de la bureaucratie administrative et des préjugés apeurés ou méprisants de la plupart des décideurs. Parmi ces immigrés que nous poussons vers la sortie, parmi ces quinquagénaires et sexagénaires que nous incitons par tous les moyens à « dégager » le marché du travail, parmi ces chômeurs que nous avons de plus en plus de peine à « assister », ces marginaux qui nous inquiètent, ces travailleurs au « noir » qui à la fois nous servent et nous gênent, se trouvent les gisements encore peu exploités d'une formidable résurrection. Ce n'est pas par préoccupation morale ou humanitaire qu'il faut arrêter de pleurer et d'avoir peur face à cette société bizarre, informe, bariolée, et se mettre enfin à s'y intéresser, à essayer de comprendre : c'est par souci de bonne gestion. Malheureux le pays qui ne trouve rien de mieux pour se survivre que de reléguer une partie de sa population au mont-de-piété des objets non-réclamés.

CHAPITRE XIII

La France plurielle

« Il ne faut pas se faire d'illusions : c'est un nouveau sous-prolétariat qui habite ces quartiers. Un sous-prolétariat qu'on peut comparer à celui des enclaves ouvrières du siècle dernier, qui ont formé la base de l'électorat de gauche. Mais où en sont aujourd'hui les couches sociales qui traditionnellement votent pour nous ? Comment réagissent-elles face à ce sous-prolétariat ?... Il faut savoir et dire qu'il y a une réaction de rejet de la base de gauche devant sa population. Il faut savoir et dire que cette réaction se comprend[1]. » Celui qui s'exprime ainsi parle en orfèvre, puisqu'il s'agit d'Hubert Dubedout, ex-maire socialiste de cette ville de Grenoble qui fut longtemps le phare et la vitrine de l'utopie concrète des lendemains qui expérimentent. L'une des causes de notre victoire aux dernières municipales fut incontestablement ce rejet, ce dépassement du « seuil de tolérance » cher aux sociologues. Le problème de l'immigration est devenu, en quelques années, la

1. Interview au *Nouvel Observateur*.

bombe à neutrons de la politique intérieure française. Braquages et autodéfense, loubards et 22 long rifle, chômage et concurrence, crise et racisme : les guérillas du Tiers-monde, que nous regardons d'un œil indifférent, risqueraient, paraît-il, de s'allumer dans nos banlieues à n'importe quel moment. Un maire communiste envoie ses bulldozers, un maire de Paris explique qu'il faut refuser les soins hospitaliers aux étrangers qui ne sont pas en règle, une avocate féministe veut organiser de grandes manifestations au nom de l'amour du prochain et de l'amitié entre les peuples, certaines communes abritant 25 ou même 30 % d'étrangers envoient des SOS, et les candidats qui y préconisent l'octroi massif de tickets de voyages en aller simple à des milliers de Mohamed et d'Ali font un malheur dans les urnes. On a beau savoir que 70 % de la population « immigrée » réside en France depuis plus de dix ans, que 85 % des travailleurs étrangers sont ouvriers, qu'ils ont construit la moitié des appartements français depuis quinze ans, qu'ils payent impôts et cotisations sociales (bien que, quand leurs enfants ne vivent pas en France, les taux d'allocations familiales soient indexés sur le coût de la vie dans le pays d'origine); on a beau se répéter que les revenus transférés à l'étranger par ces travailleurs ne se montent en moyenne qu'à 6 000 francs par an et par ménage ; que, chaque fois qu'un employeur fait appel à un immigré plutôt qu'à un Français, il économise trente mille francs de frais de formation professionnelle — rien n'y fait. L'automation et la robotisation éliminent des emplois dans la sidérurgie, et notamment dans l'industrie automobile où les immigrés sont nombreux : ils doivent partir. Le bâtiment et les travaux publics sont en crise ; les immigrés en constituent 40 % des effectifs : ils doivent partir. Prendre leurs valises, dix mille francs (montant offert gracieusement par Lionel Stoleru, secrétaire d'Etat à l'immigration sous Giscard) et se tirer. Deux millions d'immigrés, deux millions de chômeurs : admirable équation qui ne veut strictement rien dire, mais qui frappe par sa simplicité rustique.

Vrai problème, faux enjeux, débats truqués où s'affrontent deux raisonnements qui ne peuvent aboutir qu'à des culs-de-sac : l'humanisme moralisateur des uns, la démagogie raciste des autres. En fait, nous avons besoin des immigrés, parce qu'ils peuvent nous être utiles dans la guerre économique mondiale, dans ce Village planétaire et métissé qui est désormais le nôtre. Nous avons besoin d'eux parce qu'une France multiraciale se battra autrement mieux qu'une illusion de France « pure » et monochrome sur le terrain de l'économie-culture, de la conquête des marchés, de l'apprentissage de la vie quotidienne des peuples. Nous avons longuement évoqué cette nécessité d'écouter et de comprendre l'Autre, pour mieux l'assimiler (objectif des conquérants et missionnaires d'hier) ou pour mieux « échanger » avec lui (objectif des entrepreneurs et des hommes d'affaires d'aujourd'hui). Or, ces Autres, nous les avons à domicile. Parmi nous. Avec leurs valeurs, leurs coutumes, leurs croyances, leurs tabous, leur violence ou leurs frustrations. Il ne s'agit pas pour autant de jouer au grand jeu des embrassements paternalistes et de les mélanger au reste de la population, sans éducation préparatoire, sans apprentissage de la différence, en les mettant d'autorité n'importe où, posant ainsi, depuis vingt ans, toutes les bombes à retardement dont nous commençons à voir les premiers dégâts. Il s'agit d'abord de se parler. De s'apprendre.

Ils sont arrivés dans les fourgons de la croissance, en djellabah ou en boubou, avec leur marmaille : il fallait produire. Des voitures, des logements, et nettoyer les déjections de plus en plus importantes des grandes villes. Nouvelle richesse oblige : nous pouvions nous payer des domestiques à qui nous confiâmes les travaux qui ne nous intéressaient plus. Ils ont donc dressé leur bivouac, et il a fallu s'habituer à entendre Marseille et Nancy, Dreux et Paris, Lille et Aix parler arabe ou ouolof. Dans certains quartiers de Paris, les nuits de grande chaleur, on peut les voir à leurs fenêtres, les Turcs du 2ᵉ étage, les Pakistanais du 3ᵉ, les Cambodgiens et les Martiniquais du 6ᵉ, et les Français du 1ᵉʳ qui se posent des questions. Et qui se demandent si l'invasion des Barbares n'a pas commencé, si le déclin du pays n'est pas dû à l'irruption de ce troupeau de boucs émissaires idéaux. De Méditerranée, d'Afrique, d'Indochine, la première vague de ces étranges étrangers a suivi les remous de l'Empire : combien de tirailleurs marocains, sénégalais ou tonkinois ont signé, sur les champs de bataille de la

Marne ou de Verdun, les premiers contrats du sang passés entre conquérants et « indigènes » ? Le second contrat fut celui de l'alcôve : à travers le monde, les lycées français accueillirent les premières générations de sang-mêlé, ainsi que les petits autochtones aux doigts d'ébène ou à la peau bronzée qui s'émerveillaient au passage du pont d'Arcole et ralliaient avec enthousiasme le panache du bon roi Henri, leur ancêtre à tous. Avec la décolonisation, il fallut rapatrier, souvent en catastrophe, ces familles nées du soleil et de la conquête. Les glorieux enfants de la patrie ne pouvaient revenir seuls.

Que cela nous plaise ou non, la France est désormais — et pour toujours — métisse. Elle est de couleur arc-en-ciel, palette chatoyante et contrastée allant du noir antillais au blanc celte, dans une belle et gigantesque chorégraphie de races et de cultures. Simone Weil — l'écrivain, pas le ministre — affirmait généreusement : « Est français qui veut. » Facile à dire ? Nous avons absorbé les Arméniens, les Italiens, les Espagnols, les Polonais, les Tchèques, nous étions fiers de Picasso, de Modigliani et de l'Ecole de Paris, nous dansions le swing admirablement joué par des nègres, et voilà que nous nous arrêtons brusquement devant la nouvelle vague venue du Sud. Halte : on ne passe pas, on ne confond pas tourisme et résidence permanente, on dit merci, et on dégage. Agir ainsi revient à commettre une double erreur : la première est que la France a toujours tiré profit de sa condition de terre d'accueil ; la seconde — la plus importante — réside dans la méconnaissance totale des potentialités énergétiques et informationnelles des nouveaux arrivants. Nombre d'Antillais, d'Africains ou d'Asiatiques peuvent devenir des antennes de la France en matière de vente à l'étranger, et fournir du personnel travaillant dans les succursales de nos multinationales disséminées un peu partout. Ils peuvent être d'excellents symboles des qualités plurielles de notre France qu'une politique cohérente se doit de développer. En outre, ces immigrés travaillent. L'épicier arabe qui tient boutique ouverte jusqu'à 10 heures du soir, y compris le dimanche, la papeterie tenue par un Vietnamien qui ne ferme jamais son magasin, cela fait de la concurrence aux petits commerçants du quartier, mais rapporte aussi quelque monnaie à l'Etat, pour peu que les services fiscaux exercent une vigilance appropriée. Il n'est que de contempler, en Amérique, la remarquable énergie des minorités montantes : Cubains de Miami, Portugais de Newark, Philippins de Seattle, Coréens de Washington, Vietnamiens de Los Angeles, créateurs d'affaires florissantes. Pourquoi n'en serait-il pas de même chez nous ?

Face au domicile de mon gendre existait une charcuterie. Il y a trois ans, le propriétaire, las des tracasseries comptables et du fisc, a vendu son fonds de commerce à un Chinois. Mais il continue à y travailler comme salarié ; aujourd'hui, dans le magasin, on trouve côte à côte pâté de campagne et pâté impérial, épaule de jambon et rouleau de printemps. La boutique fonctionne à merveille, et la coexistence sinofrançaise également. Cela ne veut pas dire que la France sera sauvée en confiant toutes ses entreprises aux managers chinois, mais qu'une bonne utilisation des compétences est toujours bénéfique.

De même, il y aurait peut-être une autre attitude possible, face à cette fameuse « deuxième génération » d'immigrés, que les gaz lacrymogènes, les cars de police, et cette formidable peur qui fixe les interlocuteurs dans des attitudes d'incommunicabilité haineuse. Que la délinquance soit combattue et réprimée, rien de plus légitime. Mais ces gueules de « métèques » de vingt ans, amateurs de fast-food, de jeans, de baskets et de motos, sans parler du rock et du reggae, étrangers en France et étranges en Algérie, passés sans transition du Coran familial au transistor du Village global, ont d'autres messages à nous transmettre que les jets de pierre et le chapardage. Les voici de plus en plus nombreux dans la musique et dans le sport, dans la mode et le cinéma, le théâtre et l'informatique : le premier ordinateur avec clavier en caractères arabes a été créé à Belfort. Cinquante-trois actionnaires de vingt ans ont fondé un fast-food à Argenteuil, qui accueille quatre cents clients par jour. Une famille algérienne de Grenoble, dont le père était OS à Sonacotra, possède aujourd'hui deux boucheries, un restaurant et un bar. Cette culture métissée, vivante, irriguant la culture française pour des résultats qui, si nous savons les utiliser, pourront avoir des conséquences économiques non négligeables, s'exprime de façon amu-

sante par la voix de Rachid, chanteur du groupe rock « Carte de séjour » : « New York est la plus grande ZUP du monde, et Paris la capitale du Maghreb. » Provocation ? Pas du tout : marketing. Et quand Yannick Noah secoue ses tresses « rasta » à Roland-Garros, nous applaudissons le grand champion français... Quand Moustafa Daleb marque le penalty qui fait triompher l'équipe de football de Paris-Saint-Germain, le stade se remplit de vivats. Qui ne voit que, dans le monde francophone et peut-être au-delà, pourraient, de ce creuset balbutiant, surgir des vedettes, des mythes, des formes susceptibles de devenir des armes puissantes pour un retour de la compétitivité économique ?

En ce domaine, comme en beaucoup d'autres, il n'y a pas de solution magique. Il faudra évidemment continuer à refouler résolument l'immigration clandestine, et le départ d'un certain pourcentage de travailleurs immigrés frappés par la crise est peut-être inévitable. Il importe, par ailleurs, d'instaurer de toute urgence une politique d'urbanisme différent, qui donne aux populations le choix de leur habitation et de leur voisinage, afin de permettre un apprentissage des différences qui demeurera illusoire tant que la cohabitation sera forcée, le contact imposé. Reste l'essentiel : on ne réduira pas le racisme par des déclarations fracassantes sur le contrôle sévère de l'immigration ; le moindre des responsables devrait savoir que plus ce genre de mesure est claironné, moins celle-ci a de chance de se révéler efficace. On ne réduira pas non plus le racisme par des défilés et des slogans généreux mais totalement déphasés par rapport à la réalité : l'unique parade véritable réside dans la conscience d'intérêts économiques devenus communs. Au lieu de nous complaire dans les descriptions apocalyptiques et contradictoires du parasitisme de certains étrangers et de l'avidité cynique de certains autres — « trop intelligents et trop travailleurs » —, nous ferions mieux de nous atteler à l'amélioration de nos performances et à l'accroissement de notre dynamisme. En l'état actuel des tensions sociales, toute propagande discriminatoire, tout appel au ressentiment ne peuvent que conduire à des explosions meurtrières. Le redressement national, qui n'est pas une mince tâche, implique que l'on fasse l'éco nomie d'une guérilla ethnique dont personne, à terme, ne sortirait vainqueur.

Une fois de plus, soulignons ici la formidable carence des médias. Qu'offre donc la télévision nationale à plus de quatre millions d'immigrés ? Une heure et demie de programme hebdomadaire sur FR3 : *Mosaïques ;* quelques magazines d'information, incluant des reportages bien faits, mais bâtis toujours sur le même modèle de la bonne conscience de gauche : regardez-les, comme ils sont misérables, comme ils vivent mal, comme c'est dur, mais comme ils sont intelligents ! Ils ont besoin de respect et de dignité ! Dernier volet : les journaux télévisés, qui montrent au bon peuple français que les usines d'Aulnay-sous-Bois ou de Billancourt sont bondées à craquer d'Arabes menaçants auxquels on a permis — suprême imprudence — de se syndicaliser à la CGT, ce qui fait un quota supplémentaire d'agents de la subversion. Il serait peut-être temps de multiplier les programmes portugais, espagnols, arabes, africains ou vietnamiens, afin de donner à voir une culture différente, une vie quotidienne spécifique et des possibilités d'échanges non négligeables. Mais pour cela, évidemment, il faudrait plus de trois chaînes. Qui aient l'audace inouïe d'émettre, par exemple, dès cinq heures du matin... Cela aussi fait partie de nos risques et de nos responsabilités. Rien ne remplacera la démarche cybernétique de la reconnaissance.

Cette démarche devrait d'ailleurs s'appliquer à la résolution d'un autre problème tout aussi explosif : celui des autonomies régionales. La loi de décentralisation est une bonne maïeutique pour l'apaisement des tensions entre Paris et province ; mais il reste, au niveau des spécificités culturelles, d'autres métaphores à mettre en œuvre. N'attendons pas que la Corse s'embrase ou que la Bretagne se trouble pour lancer en leur direction un certain nombre d'appels. Continuer à affirmer, comme nous le fîmes pendant quinze ans, que le mouvement autonomiste corse ne regroupe qu'une poignée de trublions, est faire preuve d'une insigne légèreté, doublée d'une ignorance maladroite du fonctionnement des mécanismes info-culturels. Car prétendre que le problème corse n'existe pas et que les événements qui s'y déroulent sont le fait d'une infime minorité d'enragés, amène lesdits enragés — qui, eux, savent que la télévision existe — à montrer par tous les moyens qu'ils sont chez eux, partout, avec le soutien de la population. Que l'on se rappelle le groupe d'autonomistes masqués et armés jusqu'aux dents, surgissant au milieu d'une manifestation organisée à la mémoire de Guy Orsini, prononçant des discours enflammés et se faisant applaudir par la foule : cela avait fourni cinq minutes saisissantes au journal de 20 heures. Dans la guerre de l'information, il est désormais difficile de dire n'importe quoi : le détournement des mots tranche plus nettement sur la crudité de l'image, même si l'on peut truquer celle-ci. Le monopole a ceci d'archaïque que l'Etat, malgré tous ses efforts, ne peut plus contrôler l'information[1], sauf à rétablir une censure dictatoriale — perspective difficilement envisageable dans notre cher et doux pays.

Cela ne veut évidemment pas dire que l'Etat doive rester impuissant face à la montée des particularismes. Bien au contraire. Il peut et doit reprendre l'avantage stratégique. D'abord, en reconnaissant un droit de parole aux particularismes en question. En les invitant notamment à exposer leurs revendications, tout à fait officiellement, sur les canaux télévisuels de la République. En se servant de l'espace médiatique comme d'un terrain neutre où les discussions peuvent être poursuivies en dehors des structures traditionnelles, ce qui ne pourrait manquer de désamorcer les tensions. L'homme

1. Comme les partis, depuis la télévision, ne contrôlent plus la communication politique, même et surtout à l'adresse de leurs militants (quand ils en ont).

d'Etat moderne sait depuis longtemps combien il est dangereux de fabriquer des martyrs ; aujourd'hui, dans le contexte de la société de communication, il apprend à quel point *il est explosif de réduire un interlocuteur au silence.* Nous ne sommes plus au temps des Cathares ou de la Saint-Barthélémy, de la Commune de Paris ou de l'Occupation allemande : on ne peut plus massacrer, embastiller ou déporter en masse comme un quelconque Nigéria. Il faut donc user de gestes démagogiques positifs, se battre au coup par coup, recourir aux techniques théâtrales, noyer les revendications sous un flot continu d'arguments rhétoriques et éloquents et de démonstrations diverses ; soit, encore, mettre en lumière, de la façon la plus imagée possible, les contradictions de l'adversaire : il s'agit de faire preuve en toutes circonstances de souplesse, de mobilité, d'adaptation à l'Autre, et au moment choisi. Selon la formule éprouvée des arts martiaux : combattre selon la ligne de moindre résistance.

J'entends par « gestes démagogiques positifs » des actes de thérapie brève qui procèdent d'une conception exigeante de l'homme d'Etat faiseur d'Histoire. Ce qui élimine, on s'en doute, la plupart des polémiques politicardes de nos petits faiseurs de petites histoires, qui se servent du racisme et de l'insécurité, des immigrés et de la délinquance dans des buts de racolage électoral. Je ne suis pas contre la pêche aux voix, à condition qu'elle n'utilise pas des arguments qui risquent de se retourner contre nous par effet boomerang, en attisant les tensions et en avivant les haines. Un homme d'Etat n'est pas un camelot de foire. L'un des plus beaux gestes démagogiques positifs de ce demi-siècle fut le cri du général de Gaulle à la foule massée sur le forum d'Alger : « Je vous ai compris ! » Admirable phrase à tiroirs : il donnait aux pieds-noirs le réconfort qu'ils attendaient, dans le même temps qu'il se donnait publiquement à lui-même la possibilité de tout faire, sans qu'on l'accuse d'avoir menti. L'équivalent de cette envolée, aujourd'hui, serait peut-être de lancer : « Vive l'autonomie des régions françaises ! » — tout en montrant clairement à quel point cette autonomie serait illusoire si elle ne s'accompagnait de dépendance. Comment une région, aujourd'hui, peut-elle maîtriser entièrement son destin alors qu'aucun Etat-Nation n'est désormais capable de le faire ? Une pédagogie révolutionnaire consisterait donc à « donner à voir » la double et inséparable exigence de l'épanouissement culturel et de l'interdépendance économique, fondements de la modernité planétaire. A montrer ainsi, par les Corses eux-mêmes, la spécificité culturelle de l'Ile. Le pouvoir, rappelons-le encore, ne doit pas imposer les règles du jeu, mais fournir l'espace et la mise en scène. Dans le même temps serait rappelée en permanence la réalité économique contemporaine. Exemple de discours possible : nous accordons aux régions leur spécificité, à condition que leurs habitants assument leurs responsabilités de Français face à la guerre économique mondiale et aux incertitudes graves de la géo-politique. Discussions ouvertes, caméras braquées, pour arriver au consensus d'une France unie et plurielle, basé sur l'indispensable cohésion des citoyens et sur la non moins nécessaire diversité de leurs modes de vie et d'être. L'Europe enfin réveillée que nous appelons de nos vœux ne devrait-elle pas être, à son tour, bâtie selon la même démarche ? Il serait grand temps que nous cessions de nous enfermer dans des luttes stériles où chaque camp défend avec âpreté des causes qui n'appartiennent déjà plus aux réalités contemporaines. Le jacobinisme pur et dur, comme l'indépendantisme diviseur et sécessionniste, sont des aberrations d'égale grandeur.

Il faut nous servir des autonomistes, comme il faut nous servir des immigrés, non pour en faire les objets d'une démagogie quêteuse de suffrages, mais les sujets légitimés et réinsérés d'une Histoire commune. Cela prendra du temps : raison de plus pour commencer. De même qu'il faudrait essayer de changer, pour eux-mêmes et pour les autres, l'image des chômeurs comme éternels assistés, ainsi que celle des retraités considérés comme poids morts. De moins en moins d'actifs, payant sans cesse pour de plus en plus de bras croisés : telle est l'image d'Epinal, non dépourvue d'une certaine légitimité, qui apparaît dans certains discours et dans les rancœurs aigres des conversations de bistrot. Gouvernement, patronat et syndicats s'agitent à qui mieux mieux : le premier a proposé la retraite à 60 ans et les 39 heures payées 40, en espérant faire mieux la prochaine fois ; le second clame qu'il faut lui laisser fabriquer des chômeurs en plus, sinon l'entreprise s'écroule. (Les socialistes manquent de lectures : ils pourraient recourir beaucoup plus fréquemment au bon vieux modèle japonais. Un des avantages de ce système, en effet, c'est qu'il facilite la fermeture des usines périmées et la création d'entreprises nouvelles. Une politique de « désengagement » permet d'investir dans des secteurs plus productifs. Les Japonais garantissent la sécurité aux travailleurs, mais pas aux entreprises. Ils ne protègent pas l'industrie métallurgique, mais les travailleurs de la métallurgie qu'ils recyclent et réemploient : la sécurité économique de l'entreprise est contre-productive. A bon entendeur CNPF, salut !). Les syndicats, enfin, qui — au niveau européen — commencent à envisager la perspective de la semaine de trente-cinq heures avec diminution proportionnelle du salaire, mais qui — au niveau français — clament encore, à l'exception de la CFDT, qu'il s'agit là d'une ruse diabolique des puissances d'argent, ou d'une utopie gestionnaire dont il n'est pas question que les travailleurs fassent les frais. Néanmoins, les contrats de solidarité se multiplient, des partages « spontanés » du travail apparaissent dans certaines boîtes, comme, par exemple, l'ANPE de Rennes-Nord, où malgré l'hostilité de la bureaucratie syndicale, 39 employés se sont cotisés bénévolement pour assurer l'embauche d'un chômeur. L'on a vu, d'autre part, qu'un nombre croissant de demandeurs d'emplois créaient leur propre entreprise. L'ère des vaches maigres stimule l'imagination, dans les mille et une manières de travailler à temps partiel. Le « job-sharing » (un emploi occupé par deux personnes, avec partage du salaire) est actuellement pratiqué aux USA par plus de quatre millions de personnes. L'alternance se fait un jour, une semaine ou un mois sur deux, selon la règle du consentement mutuel. Les salaires et les bénéfices sont évidemment divisés par deux, et de plus en plus d'entreprises voient arriver des « couples » qui, après une première expérience positive, ont décidé de faire équipe. La plupart de ceux qui s'adonnent au « job-sharing » expliquent qu'ils ont envie de passer plus de temps avec leurs enfants, de suivre des cours de recyclage, ou d'exercer un second métier. En un mot, ils sont prêts à échanger moins d'argent contre plus de temps.

Ceux qui ont envie, en revanche, d'échanger leur temps contre toujours plus d'argent, qu'ils soient chômeurs, actifs ou retraités, se livrent sans honte aux délices d'une clandestinité déculpabilisée.

Face à la rigidité du système, fruit d'un laxisme érigé en mode de comportement, et de la récession qui réduit le pouvoir d'achat, grandit le spectre jusqu'ici vertueusement combattu de l'économie souterraine et de l'un de ses secteurs les plus florissants : le travail au noir. En Europe, le travail au noir représente le produit national brut du Danemark ; 5 % de la population active française s'y adonneraient, ce qui représente un chiffre d'affaires de 100 milliards de francs et un manque à gagner de 16 à 25 milliards pour la Sécurité Sociale ; 9 % des habitations individuelles (20 000 logements) ont été construites « clandestinement » ; deux cent cinquante mille enfants seraient aujourd'hui « baby-sittés » au noir ; 4 % de l'ensemble des salaires versés en France le sont « de la main à la main ». Faute d'agir sur le système, on joue avec lui. En essayant d'en profiter le plus possible. On se marie, puis on divorce, puis on vit en concubinage, pour soutirer quelques milliers de francs aux griffes du fisc ; on « gonfle » les déclarations de salaire, on dresse des contrats de complaisance, on s'arrange en famille. Citons *l'Express :* « Dans le Gers, quatre membres d'une même famille ont trouvé un truc imparable : l'un d'eux crée une entreprise de peinture et embauche son frère. Il dépose peu après son bilan, ce qui permet au frère licencié de percevoir des indemnités de chômage. Ce dernier, à son tour, crée une nouvelle entreprise de peinture, et embauche son ancien patron. Et ainsi de suite pour toute la famille. L'ASSEDIC n'a pu que constater le déroulement des opérations. »

Ce n'est pas encore avec ces braves gens que l'on comblera le déficit de l'UNEDIC, qui doit se monter actuellement à près de 14 milliards de francs. Mais l'Etat info-culturel pourrait, à son tour, entrer dans le jeu en « blanchissant » le travail au noir et en permettant, à l'intérieur de limites préalablement fixées, aux réseaux de la débrouille de s'inscrire en lettres électroniques sur les écrans vidéomatiques et les lucarnes télévisuelles. Puisque l'esprit d'entreprise existe, puisque le système « D » est une vertu nationale, inscrivons-les, par exemple, sur le réseau des entrepreneurs et des consommateurs ; que des lieux de rencontre s'organisent, que des bourses aux idées se créent, que la ménagère en panne de baignoire trouve illico son plombier, que le réparateur en meubles anciens croule sous les demandes, que l'information circule : nul doute qu'au bout du compte, par l'énergie informationnelle, l'économie du pays ne s'en trouve confortée. L'Etat pourra ainsi « repérer » les gentils hors-la-loi sortis de l'ombre, mais il trouvera des modus vivendi parce que, suivant le modèle italien, ils auront fabriqué des produits exportables à des prix réellement compétitifs.

Plus important encore est le devoir de la société info-culturelle de changer l'image du chômeur et du retraité, non par quelque grand élan de tendresse ou de pitié, mais pour en refaire des partenaires à part entière du jeu social. Il ne serait pas malséant de découpler quelque peu la définition du travail et celle du Produit Intérieur Brut. Si les comptables nationaux tiennent pour nuls et non avenus le bricolage, le travail domestique, l'entraide, la solidarité, le troc, l'amour filial — alors que le nombre et la durée des embouteillages, grâce à la consommation d'essence, entrent dans l'estimation du PNB — est-il absolument nécessaire que les médias les imitent fidèlement ? Faut-il vraiment que, sous prétexte de combattre le chômage, on fabrique à toute allure de jeunes « vieillards » culpabilisés que l'on coiffe du néologisme ridicule de « pré-retraités » pour mieux s'en débarrasser ? Xavier Gaulier déclare à *Autrement :* « Un des phénomènes très importants à l'heure actuelle, c'est que, par ces procédures tout à fait circonstancielles de licenciement et de retraite anticipée, on est en train de se donner, en France, une toute autre définition de la vieillesse. La vieillesse était déterminée, avant, par la retraite. Actuellement, la politique de la vieillesse devient une politique de l'emploi. La vieillesse est définie par des facteurs économiques, par les entreprises ou par les conventions sociales, et vous êtes décrétés vieux par la société quelquefois à 50 ou 55 ans, et ça, c'est lourd de conséquences.[1] »

Cette irresponsabilité précocement organisée peut exercer de véritables ravages intimes et familiaux, si l'on ne sait pas trouver des alternatives et préparer les citoyens à d'autres formes d'activités au moins aussi intéressantes que celles du bureau ou de l'usine. Si l'on ne connaissait la paranoïa des responsables français de droite ou de gauche pour tout ce qui touche à leur télévision, la multiplication des chaînes pourrait être, là encore, d'un grand secours. Qu'il nous suffise de rapporter cette anecdote : dans les grands centres urbains d'Amérique du Nord, des stations de télévision diffusent, heure par heure, les bulletins complets de l'actualité boursière. Cette information spécialisée a donné lieu à la naissance d'une nouvelle race d'investisseurs : les clubs boursiers féminins. Des groupes de femmes, apparte-

1. « Licenciés à 50 ans : l'occasion de changer » (*Autrement*).

nant pour la plupart au troisième âge et passant le plus clair de leur temps chez elles, se sont constitués en associations à but très lucratif. Ces braves dames observent à tour de rôle, pendant quelques heures, les fluctuations d'une valeur. Puis elles se téléphonent afin de s'entendre sur une stratégie d'investissement calculée en fonction du temps, de la conjoncture et du risque... Comme leurs loisirs leur donnent l'occasion d'être très attentives à l'évolution des cours, leurs gains surpassent parfois les résultats enregistrés par des « professionnels ». Elles ont si bien réussi que certains gestionnaires de portefeuilles ont vu des clients les abandonner, préférant accorder leur confiance à la minutieuse ponctualité du commando des grand-mères, plutôt qu'à des agents spécialisés, quelque peu hautains ou désinvoltes.

L'action conjuguée de l'information télévisuelle, du réseau téléphonique, du temps libre, de la valorisation par tous les médias de ce genre d'activités, du principe, très populaire sur le continent américain, de rotation des charges (chacune étant responsable de ses observations), plus la mise en commun d'un petit capital, ont permis à certains de ces clubs d'engranger de formidables profits. Un groupe de grands-mères de Portland (Oregon) a réalisé, en un an, des bénéfices de 3 000 % ! On voit comment, par la conjonction du loisir et de l'information, des catégories « assistées » de la population peuvent entrer allègrement dans le jeu du risque et de la responsabilité retrouvée.

Il s'agit là d'un exemple. On peut en trouver

d'autres, à condition bien sûr de le vouloir. Et de tabler, encore et toujours, sur le désir et l'infinie possibilité des dialogues. Il n'est plus possible de se contenter d'avoir sur la France un regard de comptable ou de maquignon. Le Prince moderne doit inciter tous ses sujets, jeunes et vieux, hommes et femmes, actifs et chômeurs, Blancs et Noirs, à la « participe-action ». Aucun consensus porteur d'avenir ne sera possible autrement. Parlant du chômage et de la pré-retraite, Alain Lipietz écrit [1] :

> « Tout se passe comme si ces transferts étaient de plus en plus le prix payé aux individus pour qu'ils " dégagent " le marché du travail. S'il s'agit de constater que la sphère des activités marchandes concurrentielles est contrainte par la crise mondiale, cela peut être légitime. Mais il n'y a aucune raison d'interdire toute activité créatrice de richesses matérielles ou intellectuelles aux " exclus " (ou " dispensés " ?) du travail salarié. Cette exclusion est renforcée par le découpage de la vie humaine en tranches absurdes : formation — travail (haché de chômage) — retraite. Résultat : ceux qui travaillent " perdent leur vie à la gagner " à l'âge où ils sont les plus imaginatifs et disponibles aux réorientations, ceux qui vivent de transferts et ne font rien sont socialement considérés

1. Dans un remarquable travail préparatoire à la rédaction du IXe Plan.

comme des assistés, ceux qui vivent de transferts et ont une activité sont considérés comme des cumulards, voire des escrocs... Ne serait-il pas plus sage, selon la ligne d'André Gorz, de considérer les revenus de transferts prélevés sur le salariat comme une forme de subvention marchande à des périodes d'activité " différente ", à répartir dans la durée de la vie humaine ? Chacun pourrait choisir entre le loisir, la création artistique, le recyclage professionnel, l'expérimentation de nouvelles formes de production, marchandes ou bénévoles, etc. Irait dans ce sens l'ouverture des droits à la retraite après un nombre donné d'années de travail salarié, des " années sabbatiques " librement choisies étant couvertes au même niveau, et décalant d'autant l'âge du départ en retraite. Irait également dans ce sens l'affectation des fonds du chômage à des expériences de créations d'emplois coopératifs ou d'utilité sociale, etc. »

Ces aimables perspectives tracées par les tenants d'une nouvelle gauche conviviale et autogestionnaire ne sont pas à écarter par nous, loin s'en faut, puisqu'elles participent d'un louable souci d'enrichir le contrôle de chacun sur sa propre vie, contrôle qui implique forcément la responsabilité individuelle, prolégomène de cette charte des devoirs sur laquelle nous nous sommes longuement étendus. Ainsi l'année sabbatique fait partie tout normalement de la colonne « frais généraux » d'un nombre croissant d'entreprises américaines. Tout simplement parce que cette période de « non-travail » a été trouvée, à l'expérience, fort rentable. La formule est née dans les Universités : tous les neuf ans, professeurs ou chercheurs de laboratoire ont droit à une année de « congés-réflexion » avec salaire plein. Précisons qu'il ne s'agit pas là d'un droit acquis : le candidat à cette année sabbatique doit en discuter avec son administration, ses collègues, et même parfois ses étudiants. Ce principe d'une pause professionnelle d'un an, sans contraintes horaires ou géographiques, est reconnue comme un besoin psychologique, permettant de maintenir un haut indice de « performativité » ; une oisiveté de stimulation qui seule permet, comme on dit vulgairement, de « recharger les batteries ». Ce processus s'est étendu, depuis une quinzaine d'années, dans la hiérarchie de l'entreprise privée américaine. Un technicien, un administrateur, un P-DG peuvent ainsi, pendant douze mois, changer de vie, devenir trappeurs en Alaska, chercheurs en Europe, suivre des « routards » au Népal ou aller flâner le long de l'Amazone... Chacun sait que les rêveries d'un promeneur solitaire, même et surtout à 5 000 kilomètres de son environnement quotidien, peuvent susciter, par la brisure des habitudes et le choc du changement de décor, un flot d'idées, et, pourquoi pas, de nouveaux comportements ; on revient la tête pleine, le cœur reposé et le taux de frustration considérablement diminué. L'Etre et l'Avoir ont bénéficié de cette rupture[1]. Il faut reconnaître aux socialistes le mérite d'avoir enfin institué ce droit à l'année sabbatique. Une mesure que nous aurions dû introduire depuis longtemps...

L'homme d'Etat info-culturel ne répétera jamais assez que la diversité des développements individuels conditionne tout nouvel élan économique, et que c'est en accroissant les potentialités créatrices de chacun que nous assurerons vaille que vaille la marche en avant du pays.

Dans cette mobilisation des forces vives du pays, nous n'aurons garde d'oublier la moitié du ciel : les femmes. Non que nous tombions dans le travers démagogique et irresponsable de la flatterie électoraliste consistant à les opposer aux hommes, alors que les problèmes de niveau de vie, de pouvoir d'achat, de conditions de travail se posent souvent, dans les ménages,

1. A ce propos, il serait temps de reconsidérer l'antique opposition entre Etre et Avoir, trop souvent formulée en termes manichéens. Il existe un Avoir qui n'est pas seulement fondé sur la propriété et l'acquisition d'objets marchands ; l'Avoir, c'est aussi l'originalité de nos actes créatifs, à tous les niveaux de la vie quotidienne, depuis nos relations amoureuses jusqu'à notre efficacité professionnelle. Nous nous exprimons, « nous sommes » à travers notre Savoir, partie intégrante de notre Avoir. Savoir/Avoir sont des prolongements bio-psychologiques de l'Etre. Séparer donc l'Avoir de l'Etre, ou privilégier l'un d'eux en vertu d'une quelconque morale « matérialiste » ou spiritualiste, reviendrait à perpétuer la vieille controverse entre la civilisation technicienne et l'éthique du « bon sauvage ». Le rousseauïsme change de défroque à chaque génération, mais le principe de l'Etre naturellement bon et pollué par la civilisation marchande demeure toujours aussi dérisoire. Ce dogmatisme caricatural nous a valu bien des déboires. Tout comme son double inversé : le cynisme réducteur et desséchant...

avec une égale acuité. La loi Roudy est une bonne chose, qui renforce le principe du salaire égal à travail égal, et veut contribuer à diminuer la discrimination « sexiste » dans les entreprises. Reste la réalité : plus de 60 % des chômeurs de longue durée sont des femmes ; 28 % d'entre elles bénéficient des stages de formation. Elles représentent 47 % de la main-d'œuvre non qualifiée, alors qu'elles forment 40 % de la population active. Ces chiffres montrent clairement l'étendue du travail d'éducation et d'information à effectuer, travail auquel l'Etat devrait contribuer par l'organisation d'espaces de discussion où chacun, patron, délégué de comité d'entreprise, chef de service, employée, serait mis en face de ses propres responsabilités. Dans le domaine professionnel, plus de vengeance insidieuse ou de brimades ridicules au moment du congé maternité, plus de refus déguisé (« mais vous êtes enceinte ») au moment de l'embauche. Il n'est évidemment pas question de balader le gros museau étatique dans l'intimité du foyer ; mais pourquoi ne pas multiplier les émissions, reportages, tribunes où seraient évoqués les devoirs et responsabilités du père, de l'époux ou de l'amant ? Surtout que la lutte, ici, n'est pas implacable : l'une des plus belles phrases que j'aie entendues sur le mouvement de libération des femmes (je ne parle évidemment pas ici des femmes d'affaires desséchées de la marque « MLF » déposée) a été prononcée par Claire Bonnenfant, présidente du Conseil national du Statut de la femme au Québec : « *La lutte des femmes est le seul mouve-*

ment révolutionnaire où les combattants chérissent leurs ennemis. »

Faisons un rêve. Peut-être pourra-t-on un jour appliquer cette superbe métaphore politique à d'autres terrains, en montrant que le combat peut cesser avant la mort de l'adversaire ? La violence du couple peut, dans certains de ses aspects, évoquer la violence des classes, des peuples et des races. Il serait temps que les décideurs apprennent à métaphoriser le réel, faute de quoi la conjugaison de la faim, du fanatisme et de l'aveuglement trouverait assez vite des raisons de s'épanouir dans les beaux champignons nés à Hiroshima et Nagasaki.

CHAPITRE XIV

La culture de la Bombe

A la civilisation monothéiste, à l'éthique des Droits de l'Homme doit donc s'ajouter aujourd'hui, face aux enjeux planétaires, la Charte des devoirs et des responsabilités. Veut-on un exemple du retour en force de ce sentiment ? Il résonne de plus en plus hautement dans les slogans de ces centaines de milliers de jeunes qui défilent en ce moment, à Bonn comme à Washington, à Tokyo comme à Amsterdam, à Rome comme à Copenhague, et parfois même jusqu'à Prague et à Berlin-Est, contre les dangers de guerre nucléaire. Avant de se voiler la face et de jouer les autruches indignées en clamant que tous ces « anti-nucléaires » sont payés par le KGB, il convient de constater cette mobilisation massive de la jeunesse qui fait heureusement pendant au cynisme épuisé de notre intelligentsia hémophile. Nous n'allons pas entrer ici dans le décompte des missiles SS 20 et des Pershing 2, dans le ballet mortel des armes stratégiques et tactiques, dans la question de savoir s'il faut six ou sept minutes à un Pershing pour atteindre l'URSS alors que les

225 SS 20 atteignent leurs objectifs à trois cents mètres près. Marie-France Garaud sait tout cela par cœur, et nous aussi. Ce qui est proprement hallucinant, au-delà des batailles de chiffres sur la supériorité de l'un et la vulnérabilité de l'autre, c'est le consensus honteux qui, en France, occulte complètement la spécificité apocalyptique de la bombe thermonucléaire. Le fait qu'une bombe d'une mégatonne (un million de tonnes de TNT) explosant au-dessus d'une ville fasse immédiatement trois cent mille morts, puis des millions de victimes dans les semaines suivantes, et empoisonne la biosphère pour plusieurs générations, n'a pas l'air du tout d'inquiéter nos stratèges. Dans les colloques auxquels j'ai assisté, de savantes autorités parlaient de cet arsenal comme s'il s'agissait du sabre de bois de Joseph Prudhomme, ou des chenillettes de 14-18. Il y a, sur ce plan, un inquiétant déphasage mental, en même temps qu'un archaïsme sémantique qui n'aide point à la réflexion : il faudrait tout de même rappeler que si l'on a pu fermer, un jour, les camps de concentration d'Auschwitz et de Treblinka, l'on ne pourra jamais « fermer » un territoire ravagé par les bombes H ni réclamer son passeport à un nuage radio-actif. Depuis 1945, date de la première explosion atomique, nous avons changé d'ère et — bénéfice terrible d'Hiroshima — nous sommes embarqués, que nous le voulions ou non, sur le même bateau. Quand les évêques catholiques américains posent deux questions précises à des centaines d'experts — la dissuasion nucléaire peut-elle

échouer ? le déclenchement de la guerre nucléaire peut-il échapper au contrôle du gouvernement ? — et que pas un seul des experts consultés ne répond par la négative, il y a de quoi réfléchir, même comme simple citoyen, sur des perspectives d'avenir qui risquent d'apporter une solution finale à tous nos problèmes, mais peut-être pas dans le sens que nous souhaiterions.

Le problème du nucléaire est exemplaire, pour l'éthique des devoirs et de la responsabilité, du rôle de l'information et du débat : responsabilité des gouvernements vis-à-vis de leurs concitoyens ; responsabilité de chaque citoyen vis-à-vis de lui-même, de sa famille, de son avenir ; responsabilité des grandes puissances détentrices de l'arsenal nucléaire. Devoir d'informer des responsables, devoir d'expression du citoyen face à la force de dissuasion et aux déséquilibres naissants de la terreur.

L'info-culture fait son travail : au Larzac, en août dernier, 10 000 personnes prônaient le gel immédiat des recherches et des arsenaux. Ceux qui ne voient dans les « pacifistes » que des millions d'Andropov auraient fait ici amende honorable : étaient en effet représentés des délégués polonais de Solidarnosc, des pacifistes de Berlin-Est qui venaient de faire un an de prison, des membres tchécoslovaques de la Charte 77, des adhérents du Moscou Trust Group qui lutte contre le surarmement soviétique. Nul doute qu'il existe un courant pacifiste manipulé par Moscou et qui sert objectivement les intérêts de l'hégémonisme soviétique, dont le relais en

France est le parti de Georges Marchais ; mais existe aussi de plus en plus un autre mouvement, totalement indépendant, et qui revendique hautement de savoir à quelle sauce radioactive l'humanité risque d'être dévorée[1].

Devoirs et responsabilités : la guerre et ses spectres nous ramènent à cette vieille Europe, cette « non-Europe » que dénonce éloquemment Michel Albert. Continent en récession, incapable d'organiser une quelconque politique commune, ni sur le plan économique ni sur le plan industriel, succombant à une sauvage régression agricole, inapte à créer un seul emploi depuis dix ans, mais demeurant pourtant le premier importateur et exportateur du monde. Europe défaillante au niveau de la recherche et du développement, partant pratiquement battue dans la course aux industries de communication et d'information qui devraient créer quatre millions d'emplois dans les années 1990 ! Or, au-delà de la musique pop, des jeans et du fast-food, phares de la culture nord-américaine, quel est le seul mouvement qui traverse les frontières du Marché Commun, organisant des manifestations communes dans toutes les capitales ? Les anti-nucléaires. Ceux-ci ont écouté ce que disait Jacques Chaumont, sénateur RPR de la Sarthe, dans son rapport sur le budget de la Défense pour 1982 : « On glisse insensiblement du concept de la dissuasion

1. Ce mouvement, le CODENE, a reçu en septembre 1983 un appui de taille, celui de la CFDT.

nucléaire, fondé sur l'équilibre de la terreur et le caractère apocalyptique et inacceptable du risque nucléaire, à un système qui paraît exclure de moins en moins la possibilité de mener, maîtriser et si possible gagner une guerre nucléaire. » Et le journal *Le Monde,* qui rapporte ce propos, d'ajouter : « Insensiblement, à la non-guerre de la dissuasion se substitue la possibilité d'engager un conflit nucléaire en Europe. »

Les anti-nucléaires n'oublient pas les propos autrement plus significatifs de Ronald Reagan, lancés à un groupe de journalistes en octobre 1981 : « Il est permis d'envisager l'utilisation d'armes tactiques, des deux côtés, sur le champ de bataille européen, sans que cela amène l'une des grandes puissances à appuyer sur le bouton. » Enfin Helmut Schmidt, l'ancien chancelier allemand, que l'on peut difficilement assimiler à un agent de Moscou, répondait ainsi aux questions d'un journaliste de *Newsweek :* « Je souhaiterais être convaincu que les Américains négocient sérieusement. Pour le moment, je ne le suis pas. Il me paraît difficile de dire aux Allemands qu'ils doivent recevoir une cargaison supplémentaire de missiles, alors que six mille têtes nucléaires US sont déjà stationnées en République fédérale. D'autant plus que votre Congrès discute encore de la véritable efficacité du Pershing et du MX. Combien d'Américains aimeraient vivre avec six mille missiles implantés à proximité de leur domicile ? »

L'on trouvera légitime que les Allemands ne soient pas les seuls à se poser cette question. Laisserons-nous ceux-ci, littéralement déchirés entre l'Est et l'Ouest, s'essayer à la réunification par de périlleux compromis ? Dans le grand marchandage URSS-USA, une initiative française ne serait pas aujourd'hui superflue.

Il est tout de même intéressant que la classe politique française, gauche et droite confondues, ait, dans un touchant et rarissime unanimisme, condamné avec indignation les propos de l'ex-secrétaire général de l'UDF, Michel Pinton, qui osa dire, le pelé, le galeux, que la force de dissuasion française était « injustifiable moralement, inefficace militairement, trompeuse politiquement ». Pis : il l'a comparée à la ligne Maginot, de sinistre mémoire. D'où la levée de boucliers des défenseurs farouches de la puissance nationale, laquelle se mesure, comme chacun sait, au nombre de mégatonnes qu'elle a dans sa besace. Que l'on m'entende bien : je ne suis pas contre la force de dissuasion qui nous a tout de même permis de garder notre rang en Europe face à l'Allemagne, et qui fait de nous un convive apprécié dans les dîners de têtes Est-Ouest — mais il est souhaitable, il serait même indispensable de demander, voire d'organiser un débat général et public sur l'armement nucléaire, relayé en satellite Mondovision, avec interrogations et réponses circonstanciées. Nous ne sommes pas naïfs au point de croire que ce meeting télévisé ferait régner la paix de par le monde : mais au moins pourrait-il clarifier les positions, et les responsabilités de chacun seraient alors tracées. La Bombe existe. Sa présence nous aura peut-être valu quarante ans de paix, mais c'est faire bon marché de centaines de sanglantes guerres périphériques. Et, si elle n'a pas encore explosé sur nos têtes, qui niera ses effets dans la perte d'énergie en politique, en société, en morale, que tous peuvent constater ? Nous avons troqué le véritable individualisme, celui de l'engagement, du devoir et du combat, contre l'égoïsme pragmatique de la vie privée, des portes closes, de l'avidité, de la gloutonnerie, du ôte-toi de là que je m'y mette. Le conformisme du comportement s'est généralisé : trente-cinq ans de guerre froide, ça compte. Dans la tête de la plupart des hommes politiques d'Est et d'Ouest fonctionnent des cerveaux primitifs branchés sur le « eux ou nous ». Les adeptes de la pensée binaire jouent au volley-ball : Chili contre Afghanistan. Vietnam contre Pologne. Salvador contre Tchécoslovaquie. Guatemala contre Angola. Alliance monstrueuse des bureaucrates américains et russes dont les impérialismes passent leur temps à se justifier l'un l'autre : même pensée, même miroir, mêmes bombes. Et chez nous, en France, le manichéisme triomphant : les « fascistes » Giscard-Chirac-Barre contre les « rouges » Mitterrand-Mauroy-Marchais. Eux ou nous. Les conservateurs, c'est vous ! La générosité, c'est nous ! L'incompétence, c'est vous ! La rigueur, c'est nous ! Pendant ce temps, silence blanc des citoyens, ponctué par les flashes des sondages. Sur la porte de la maison France, on a posé un écriteau : « Do not disturb. »

Eh bien, ce n'est plus possible. En fait, ce n'est pas seulement la Bombe qu'il faudrait démanteler, mais la culture corrosive et déresponsabilisante engendrée par elle. Là réside l'essentiel de cette véritable révolte de consommateurs que représentent, en fait, les mouvements pacifistes indépendants. De même que la ménagère refuse le produit avarié vendu au supermarché, de même, elle refusera un destin où la certitude de sa mort individuelle serait remplacée par la probabilité sans cesse accrue d'une mort collective.

De tout cela, on peut évidemment se contenter de sourire avec Baudrillard, pour qui le cabotinage des masses est notre plus solide garant de survie : « Ce qui nous protège, c'est que pour le nucléaire, l'événement risque fort d'emporter toute chance de spectacle. C'est pourquoi il n'aura pas lieu. Car l'humanité ne peut accepter d'en sacrifier le spectacle (à moins qu'elle ne réussisse à trouver un spectateur dans un autre monde). La pulsion de spectacle est plus puissante que l'instinct de conservation, c'est sur elle qu'il faut compter[1]. » On peut aussi, comme René Girard, gloser sur la puissance métaphorique de l'arme nucléaire : « En un sens, la bombe H incarne aujourd'hui une certaine révélation : savoir que le dieu qui protège les hommes de la violence depuis le début de l'histoire, c'est la violence elle-même. Les hommes l'ont fabriquée de leurs mains, elle plane aujourd'hui au-dessus de leurs têtes. C'est sinistre ! Aucun des discours actuels, au fond, ne reconnaît cette situation. Or cette

1. *Les stratégies fatales*, Grasset.

dernière n'est pas seulement négative, elle nourrit notre sentiment à tous contre la guerre. Mais il faudrait que les diplomates et les hommes d'Etat reconnaissent d'abord cette impuissance. Depuis trente-cinq ans, en un sens, la bombe H remplace le gouvernement mondial que nous n'avons pas. Tout cela a une valeur symbolique extraordinaire[1]... »

Diplomates et hommes d'Etat ont peut-être mieux à faire : organiser — enfin — l'unité de l'Europe, ce qui impliquerait notamment une politique militaire commune, afin que notre continent ne soit plus uniquement tributaire des deux super-puissances. Il est inadmissible, en effet, que l'Europe, déjà désunie politiquement et économiquement, accepte d'être l'otage passif du nouveau marchandage planétaire. La débilité du débat politique à propos des élections au Parlement européen laisse assez mal augurer de l'avenir.

Les Etats-nations qui composent le vieux continent préfèrent, semble-t-il, décliner séparément plutôt que triompher ensemble, bien qu'ici et là apparaisse l'amorce de quelques salutaires prises de conscience. Face à cette situation dont tous nos responsables politiques mesurent l'extrême gravité, où est le grand débat, en France, sur le défi européen ? Où est l'exposé public des véritables enjeux, des obstacles économiques et monétaires, des candidatures de l'Espagne et du Portugal, des perspecti-

1. In l'*auto-organisation* (Colloque de Cerisy), Le Seuil.

ves à terme, si aucune modification n'intervient ? Le seul débat qui ait eu lieu jusqu'ici s'est déroulé entre le RPR et l'UDF, le premier réclamant une liste unique, la seconde préférant garder sa prime d'ancienneté pro-européenne. Bref, une belle polémique franco-française, d'où l'Europe était rigoureusement absente. Il faut le dire : les uns, se fichant éperdument de l'Europe, veulent faire de ces élections un référendum de politique intérieure qui infligerait un sanglant désaveu à Mitterrand. Tentant, répondent les autres, très tentant : mais imaginez que Simone Veil — qui dirigerait naturellement la liste unique d'opposition — fasse 53 % des voix : qui pourrait l'empêcher alors de se considérer comme la meilleure candidate à la Présidence de la République ? Voilà qui donne à penser. Enfin, les vrais Européens — heureusement, il y en a, et ils sont nombreux — pris en porte à faux par ces jeux étriqués de café du commerce, essaient de faire entendre leur voix, aussitôt recouverte par le fracas des aspirants à la revanche.

Cette hargne, cette grogne et cette rogne ne profiteront à personne. S'il existe des divergences, qu'on les étale au grand jour, qu'on en détaille les paramètres, qu'on s'en explique. Car il est vrai qu'en 1979, lors des premières élections européennes au suffrage universel, RPR et UDF ne chantaient pas, c'est le moins qu'on puisse dire, la même chanson. Jacques Chirac affirmait sur France-Inter, le 25 avril de cette année-là : « Que se cache-t-il derrière ces convergences qui voudraient nous faire croire que tout d'un coup, par une sorte de miracle de la nature, les gaullistes et les centristes, qui se sont toujours combattus sur la conception de l'Europe et le rôle de la France dans l'Europe, auraient aujourd'hui les mêmes idées sur l'Europe ? Que se cache-t-il derrière ces mots ? Eh bien, je vais vous le dire, il se cache tout simplement une duperie... Derrière ces soit-disant convergences européennes que vous évoquiez, il y a une différence essentielle : nous n'avons pas la même idée de l'Europe et la même idée de la France dans l'Europe que nos partenaires centristes de la majorité parlementaire qui figurent, eux, sur la liste de l'UDF... »

Cela, c'était il y a quatre ans. Les choses changent, et les êtres. Pourquoi le RPR n'aurait-il pas le droit d'être touché par la grâce européenne ? Mais quelques UDF facétieux ressortent une autre déclaration du même Chirac, faite le 4 mai 1979, lors d'une émission spéciale Europe 1-Antenne 2 : « ... Mais, derrière Mme Simone Veil, il est tout de même frappant de trouver tous les hommes qui, avec une farouche énergie, n'ont cessé de lutter contre la politique européenne du Général de Gaulle. (...) En outre, ils ont toujours milité ouvertement pour une conception supranationale de l'Europe. Je ne leur ferai pas l'injure de croire qu'ils n'ont pas été touchés par la grâce. Mais, en politique, j'ai appris à me méfier des conversions subites. Elles ne durent jamais... »

N'ayons pas mauvais esprit. Il peut y avoir des conversions franches, mais alors qu'on en parle. Longuement. Publiquement. L'Europe est une chose trop importante pour être laissée aux querelles politiciennes. Ne nous faisons aucune illusion : si l'Europe agonise, la France, qu'elle soit dirigée par Chirac ou par Mitterrand, par Raymond Barre ou par Michel Rocard, ne s'en sortira pas. Il est évident que le vote des électeurs aux « européennes » sera largement influencé par les difficultés économiques et sociales actuelles, comme cela avait été le cas en 1979. Raison de plus pour ne pas enterrer l'objet principal de la consultation dans un flot de rhétorique intra-muros. Il est plus tard que nous ne pensons...

Si j'évoque — rapidement — ce chapitre européen, c'est pour essayer de montrer à quel point il y a matière à s'inquiéter. Seize années nous séparent du troisième millénaire : les jacasseries d'arrière-boutiques électorales ne peuvent, on s'en doute, esquisser une quelconque espérance. L'Europe est une idée trop sérieuse pour n'être que l'enjeu d'un concours de présidentiables.

CHAPITRE XV

Arrêtez de pleurer !

« L'individu, qui a besoin de s'identifier à un groupe social, car il y trouve sa raison d'être, a le sentiment de ne plus avoir d'avenir quand le groupe n'en a plus », écrit François Partant dans *La fin du développement*[1]. D'où l'urgence capitale à redonner un symbole d'identification, Dieu étant mort avec Nietzsche, Marx agonisant de honte dans la dérive des boat-people indochinois, l'Homme lui-même, attaqué et nié de partout, ne se portant plus très bien. La difficulté apparaît dans le fait que ce symbole, aujourd'hui, ne peut plus être que planétaire. J'en suis navré pour Michel Albert, mais le débat politique actuel montre qu'on ne mobilisera pas sur l'Europe, même en jouant les Cassandre statistiques ; sa remarquable analyse du Mal européen servira tout juste de prétexte à quelques passes d'armes clientélistes entre la gauche et l'opposition. Le défi est désormais mondial, et il appelle des réponses plus complexes que celle du frétillant J.-J. S.-S., à savoir

1. Ed. Maspero/La Découverte.

une alliance du pétrodollar et de l'ordinateur qui permettrait au Tiers-monde de décoller et d'entrer de plain-pied dans la modernité...

Ce sont la paix et la lutte contre la faim qui apparaissent comme les principaux préalables à l'élaboration d'un consensus planétaire. Nous avons essayé de montrer que l'un des devoirs d'une politique d'Histoire devrait s'attacher à faire de la France le foyer de grands rassemblements de « sages » de tous les pays sur ces deux formidables défis que l'humanité s'est lancé à elle-même.

Une société nouvelle est en pleine émergence, dont nous avons essayé d'esquisser quelques traits : l'universalité, le métissage, la polymorphie, l'adaptabilité, le pluralisme, la conscience des interdépendances écologiques et économiques, la planète considérée comme un gigantesque cerveau collectif ; lignes de force dont nous commençons à peine à dessiner les contours, susceptibles de produire d'efficaces schémas d'identification à condition que tout ce qui, en France, fait profession de penser y daigne prêter son concours.

Alvin Toffler, dans *La Troisième vague*[1], formule un nouvel espoir naissant à partir de l'incertitude. Il en appelle aux devoirs de synthèse, d'action et d'implication. « Se complaire dans le négatif, écrit-il, serait à ce stade immoral. » Il pose la sempiternelle question du pessimisme et de l'optimisme, et rappelle qu'une honnêteté intellectuelle élémentaire consiste-

1. Ed. Denoël.

rait à reconnaître que les termes du choix ont changé. La question que chacun d'entre nous doit se poser, dit-il, est : « Vais-je ajouter au désespoir ambiant, ou dois-je jouer la pensée comme action ? » En d'autres termes, est-ce pécher irrémédiablement contre l'esprit que de s'essayer, aujourd'hui, à la positivité ?

En France, à la surface du marché des idées, les jeux semblent faits. L'intelligentsia du « star-system » est morte le 10 mai 1981. Paix à ses cendres. Il faut être aussi naïf qu'un porte-parole de gouvernement socialiste pour oser croire encore à son existence. A titre d'oraison funèbre, je livre ici trois citations caractéristiques, couronnes tressées par trois intellectuels ayant pris suffisamment de recul par rapport au Milieu. La première est un extrait d'interview donnée par l'universitaire américain Herbert Lottman, auteur d'un excellent *Camus* et d'un très documenté *Rive gauche*[1] au quotidien *Le Matin* :

> *Question :* La phrase la plus extraordinaire de votre livre est sans doute ce mot d'un ouvrier du bâtiment qui, lors de la grève générale du 12 février 1934, s'exclame : « Il nous faudrait des fusils pour descendre vers les quartiers riches avec à notre tête un chef, un homme enfin... Tenez, un type dans le genre de Gide ! »...
>
> *Herbert R. Lottman :* Il n'y a aucune raison de suspecter aujourd'hui la sincérité

1. Ed. du Seuil.

des intellectuels qui vont au Cambodge ou en Afghanistan, mais il faut reconnaître qu'ils ont peu d'influence. Ils font les choses à l'envers. Ce que je vais dire n'est pas malveillant, c'est une constatation ; mais, pour donner des leçons, il faut d'abord passer vingt ou trente ans dans un cabinet de travail, solitaire. De toute façon, depuis la mort de Staline, ce qui se passe à Paris n'est plus écouté à l'extérieur... Aujourd'hui, les penseurs sont à la Maison des Sciences de l'homme, boulevard Raspail, ou au Collège de France. Le livre de Hamon et Rotman, *Les Intellocrates,* nous a montré comment ils intervenaient dans les médias. Ce milieu est beaucoup plus fermé que celui que je décris dans *Rive gauche.* Mais je ne crois pas qu'on s'intéresse vraiment à eux. Ont-ils l'importance qu'ils croient avoir ? Paris reste aujourd'hui une formidable culture, mais seulement dans le sens biologique... Aujourd'hui, les écrivains semblent plus intéressés par leur pouvoir que par leur œuvre. Ils n'ont plus l'ambition ou le souffle de produire des livres comme *La Condition humaine.*

Le Matin : C'est peut-être l'époque qui n'est plus capable de produire une œuvre telle que *La Condition humaine ?*

H. R. Lottman : Peut-être... Je crois surtout que les écrivains qui auraient pu écrire ces livres, aujourd'hui, font autre chose. Ils gaspillent leur énergie au téléphone, passent leur temps à comploter... »

Deuxième couronne, celle que tresse Daniel Lindenberg dans la revue *Le Débat* :

> « Quand l'intelligentsia française décidera simultanément de se faire hara-kiri et de se mettre enfin au travail intellectuel qui est aujourd'hui le cadet de ses soucis, elle découvrira sans doute quelques surprises en se regardant dans un miroir. Elle y découvrira que sa passion pour l'Histoire avec un grand H ne la protège nullement des ravages, quant à sa propre mémoire, de l'amnésie ; que sa surpolitisation manifeste — tout geste d'un clerc français engage apparemment le destin de l'humanité — recouvre une ignorance profonde des ressorts réels de la politique et de l'économie ; que la nostalgie de la belle totalité qui pousse les artistes à se vouloir « savants », les savants à être reconnus comme artistes, et aux deux de se réaliser dans la politique, génère en fait un déclin du sens du métier, et une déprofessionnalisation générale, terrain favorable, on le sait, à la tentation totalitaire qui s'est toujours soutenue d'artistes ratés, de demi-savants, et de politiques délirants issus des universités et des cafés. »

Enfin, en guise de bouquet, la « confession » de Jean-Pierre Dupuy, polytechnicien, co-organisateur du passionnant colloque de Cerisy sur l'Auto-organisation, que nous avons déjà évoqué, et qui raconte sa randonnée dans le petit monde intelligentsiaire :

> « Quel chemin parcouru ! J'avais cru en un universel abstrait ; je me retrouvais plongé dans le relativisme le plus naïf, un nihilisme de la connaissance pour lequel tout se vaut, c'est-à-dire rien ne vaut. J'avais appris à placer l'honnêteté intellectuelle au premier rang des qualités de l'esprit ; j'étais entouré de faux originaux et de prétendus marginaux, qui se copiaient mutuellement et se citaient sans références ni guillemets, n'hésitant pas à se contredire eux-mêmes à six mois de distance. J'avais rédigé des mémoires scientifiques que dix de mes pairs pouvaient apprécier, puis des rapports administratifs dont un ou deux responsables prendraient connaissance sans qu'il fût pensable de jamais les publier ; j'étais prisonnier de l'alternative démente : ou je luttais pour conquérir la reconnaissance d'une foule versatile, ou bien je renonçais radicalement à l'écriture et à la publication, dans un acte d'écriture et de publication dénonciateur et autocontradictoire. J'avais aimé la rigueur et la clarté de l'expression, et je m'étais soumis aux contraintes de l'univocité du langage formalisé ; j'apprenais que l'ambiguïté et l'obscurité sont des masques efficaces pour échapper à toute contestation et pour cacher le vide ou l'imitation. J'avais pensé qu'un pouvoir sobre, rationnel et éclairé est

un moindre mal pour contenir la violence des hommes ; je comprenais qu'un vrai intellectuel doit assimiler tout pouvoir au mal absolu, alors même que le monde des intellectuels est la guerre de tous contre tous, où ce qui compte, à la limite, n'est pas tant d'avoir du succès que d'empêcher l'Autre d'en avoir. J'avais cru en un savoir cumulatif et à l'image selon laquelle chaque génération n'est qu'un nain sur les épaules d'un géant ; j'apprenais que, pour être pris au sérieux, il faut à chaque œuvre proposer rien de moins que de nouveaux fondements de la Totalité. J'avais goûté à la grande fraternité de la science sans frontière ; je me trouvais pris aux pièges de la fascination, de l'envie et de la haine, qui lient les rivaux l'un à l'autre d'autant plus qu'il se maudissent, et leur font prendre pour le centre du monde la province étriquée de leurs querelles[1]. »

Restent heureusement les meilleurs — les vivants — qui travaillent, eux, et produisent. Sur l'autonomie et la dépendance, la cybernétique et la systémique, la théorie des catastrophes et le tri génétique, le village global et la cité planétaire, les avatars de l'Etat et de la société, les ordres et les formes de l'Histoire, sur les rapports entre science et spiritualité, entre centralisme et polymorphie ; paraissent régulièrement des œuvres fortes, longuement mûries,

1. In *Le Débat,* septembre 1980.

dont nous faisons notre miel par ce qu'elles apportent à l'édifice frêle, contesté, toujours remis en question, de la pensée qui peut se jouer comme action. Ceux-là seuls nous intéressent, éloignés qu'ils sont des jeux du cirque.

Il existe également une autre catégorie d'intellectuels qui n'appartient pas au monde des clowns, qui sont des gens tout à fait respectables, mais qui, telle la femme de Loth, se sont transformés en statues de sel. Tétanisés. Ils se sont un jour retournés et ont aperçu, horreur des horreurs, leur propre visage affublé de la moustache drue et des yeux globuleux de Staline. Je parle ici, évidemment, de la masse des ex-communistes, néos, cryptos, compagnons de route, ombrageux sacristains, qui psalmodièrent la messe rouge pendant des années et qui, frappés de plein fouet par la foudre soljénitsynienne, brûlèrent spectaculairement ce qu'ils avaient adoré. Dans mon précédent ouvrage, j'ai raconté ce processus, que nous accueillîmes favorablement parce qu'il ôtait définitivement à la gauche le monopole de l'humanisme et de la vertu qu'elle s'était faussement attribué. L'ennui, c'est qu'ils n'en finissent plus de battre leur coulpe, selon le binôme culpabilité-ressentiment que nous avons ci-dessus analysé dans les rapports du garagiste et de son client. Ils avaient acheté une voiture puissante, fabriquée aux usines Marx et Engels — avec contrat de confiance du Parti — et ils s'aperçurent qu'on les avait trompés sur la marchandise. Les plus âgés auraient pu lire Koestler en 1946, ou David Rousset en 1952. Les plus jeunes auraient pu faire de même : Koestler est en livre de poche depuis longtemps. Mais qu'importe : il n'est jamais trop tard pour comprendre.

Seulement, cela fait longtemps que nous avons tous compris la nature de l'URSS, son essence totalitaire, ses ambitions impérialistes. Il nous appartient peut-être d'expliquer à nos staliniens repentis qu'il est temps de cesser de voir le monde, le ciel, les étoiles et la politique à l'aune unique des faits et gestes de Monsieur Andropov. A remettre sans cesse le même quarante-cinq tours sur leur électrophone idéologique, ils finissent par passer complètement à côté d'une réalité qui n'a pas, quant à elle, les yeux fixés sur le 6e arrondissement de Paris. Ce négativisme puéril d'enfant qui tape du pied paraît peu apte à nous aider dans les stratégies du temps présent. Car enfin, il faut être conséquent : ou l'URSS est le Mal absolu et toute négociation avec elle est impossible, ou la guerre atomique rend dérisoire ce genre de raisonnement, et alors... on parle. On ne dépose pas les armes au vestiaire, on est prêt à toute éventualité, mais on parle. Sans concessions, comme les occupants d'un même immeuble, ennemis héréditaires, qui constatent que les murs se lézardent dangereusement tout autour d'eux. Sérieusement, pensez-vous que l'URSS soit peuplée de 220 millions d'Andropov ?

J'étais en Californie il y a quelques mois, non pour célébrer des retrouvailles nostalgiques avec quelques anciens présidents et chefs de gouvernement, mais à l'invitation de mes amis de la Bank of America. J'eus l'occasion d'assister à un extraordinaire concert qui rassemblait quelque cent mille spectateurs. Quatre groupes de rock — dont le chanteur David Bowie — se succédaient sur scène, provoquant applaudissements et sifflets enthousiastes. Sur les deux écrans géants disposés derrière la scène apparaissaient les images de milliers de jeunes Moscovites en train d'applaudir et de hurler de joie ; le concert était, en effet, retransmis par satellite simultanément à Moscou et San Francisco, et nous pûmes ainsi voir les prestations de quatre groupes de musiciens soviétiques — nettement moins bons, est-il nécessaire de le préciser ? — mais qui reçurent un accueil aussi chaleureux des jeunes Californiens. Bien sûr, ce n'était pas la paix, aucun SS 20 n'avait été retiré, aucun Pershing détruit ; mais Russes et Américains, grâce à la technologie de la cité planétaire, avaient pu se voir, s'entendre, constater qu'ils vibraient aux mêmes rythmes et aux mêmes sonorités. Que voulez-vous : cela me paraît, aujourd'hui, plus actuel et plus nécessaire que la conférence internationale organisée par l'Institut de Madame Garaud. L'organisation du concert avait coûté un million de dollars, versé entièrement par Steve Jobs, le patron de « Apple », la compagnie d'ordinateurs individuels. Jobs expliquait qu'il avait fait cela parce qu'on ne pouvait plus, selon lui, continuer à parler de l'Autre comme de l'incarnation du Mal, dont la disparition ne poserait dès lors plus aucun problème éthique ou moral [1].

1. Sans compter la disparition d'un fructueux marché... ce qui n'ôte d'ailleurs rien à la valeur du geste.

L'Amérique de Reagan peut se permettre ces gestes spectaculaires de consensus info-culturel ; l'Angleterre peut bouger, et l'Allemagne, et l'Italie, et la Hollande... Quant à nous, drapés dans nos certitudes de convaincus ou de convertis, nous commettons l'erreur tragique d'avoir laissé jusqu'ici le quasi-monopole des mots d'ordre de paix au parti communiste, dont les préoccupations éthiques sont pour le moins secondaires.

Il est, pour nous qui avons toujours su ce qu'était le marxisme, plaisant de voir tous ces staliniens repentis, tous ces ex-maoïstes purs et durs, s'accrocher avec la ferveur du désespoir au sourire bien-aimé de Ronald Reagan. Seulement voilà : aujourd'hui, pour l'élaboration d'un nouveau programme et de nouvelles valeurs, ils ne nous servent plus à rien. Ils sont encore en plein travail de deuil, comme disent les psychanalystes. Or le monde n'attend pas. La réaction de certaines personnalités aux événements du Tchad est caractéristique : « Derrière les chars libyens, il y a l'URSS. Voilà, je ne sors pas de là. Nous vivons sous la menace du Goulag. Si on recule au Tchad, c'est notre sécurité, notre propre liberté qui est menacée. La liberté, elle se joue sur tous les coins de la planète[1]. » Est-ce faire injure à un chanteur que nous admirons tous que de lui dire qu'il raisonne politiquement comme un jambon d'York ? Que l'intérêt de Kadhafi, qui est aujourd'hui de s'allier avec l'URSS, pourra parfaitement demain, comme Sadate hier, le

1. Interview d'Yves Montand à *l'Express* (19 au 25 août 1983).

conduire à acheter des chars américains ? Que l'aide américaine aux dictatures d'Amérique centrale et latine fabrique autant de pro-castristes que la chape de plomb jetée par l'URSS sur l'Europe de l'Est et l'Afghanistan engendre de combattants de la liberté ? Il serait tout de même temps d'écouter aussi ceux qui crient en vain depuis des décennies, comme l'agronome René Dumont et quelques autres : outre les quarante mille enfants qui meurent de faim chaque jour, outre les millions de sous-alimentés, il faut savoir que dans le Tiers-monde, la population rurale augmente de 1 % par an, celle des villes de 4 à 5 %, celle des bidonvilles... de 9 à 12 %. Si cette évolution se prolonge, en l'an 2000, la moitié de la population du Tiers-monde vivra dans des bidonvilles, sans revenu décent, sans travail régulier, dans des conditions que l'on peut — ou devrait — imaginer. Et c'est là que surgit le vrai danger, que les obsédés de l'affrontement Est-Ouest occultent avec le même aveuglement qu'ils « ignoraient » le Goulag dans les années 50 : ces masses d'Afrique, d'Asie ou d'Amérique latine, affamées, fanatisées, seront prêtes à se donner à un nouveau Khomeiny ou à un nouveau Kadhafi — lesquels considèrent le communisme soviétique et le capitalisme occidental comme deux bêtes malfaisantes issues de la même tanière, avec qui il convient de traiter ponctuellement, au coup par coup, avec une longue cuillère. Qui dira la haine grandissante, confuse encore, mais dont on perçoit déjà les cris et chuchotements, qui monte dans les favellas de Rio comme dans la brousse d'Afrique du Sud, contre les nantis « de Moscou et de Washington » ? Il faut empêcher Kadhafi de perpétrer ses visées expansionnistes, mais pour des raisons autrement plus importantes que la nationalité de ses chars et de ses avions ; il faut l'arrêter parce qu'il est imprévisible, qu'il est porté par une illumination mystico-revancharde qui le rend totalement irréductible à tout véritable consensus avec les anciens maîtres.

Entendons-nous bien : il ne s'agit pas d'entonner le grand air de la culpabilité tiers-mondiste, ni de lancer des collectes de tablettes de chocolat pour les petits Chinois. Les « *sanglots de l'homme blanc*[1] » ne sont vraiment plus de saison. Mais notre conviction profonde est que la grande lueur nucléaire — si nous laissons la situation se dégrader encore — ne viendra ni de Reagan ni d'Andropov, mais d'un prophète bardé de certitudes et de haine, poussé par des milliers d'affamés et d'exploités qui n'auront, eux, *rien* à perdre. Il est temps que, sans jamais baisser la garde face à l'URSS, nos vaillants petits soldats de la pensée se réveillent et regardent un peu de ce côté. Il est tout de même hautement significatif que la quasi-totalité de l'infanterie intellocratique soit aujourd'hui massée sur le front de l'Est et que l'on n'en signale même plus un détachement dans les banlieues immigrées ; évidemment, avec un gouvernement de gauche, cela devient moins glorieux[2].

1. Titre de l'intéressant livre de Pascal Bruckner (Le Seuil).
2. Aux pétitionnaires professionnels à la pensée inexorablement linéaire qui signent aujourd'hui contre le totalitarisme

L'homme d'Etat, lui, ne peut se permettre pareilles négligences. Il sait que bon nombre des pays du Tiers-monde sont pratiquement insolvables. Que l'engagement des pays industrialisés à consacrer 0,70 % de leur PIB à l'aide au développement (cela devrait monter à 1 % en 1990) est resté lettre morte ; que le développement « industriel » et les termes de l'échange ont pratiquement démantelé, comme on l'a vu, un certain nombre de pays qui reposent entièrement, aujourd'hui, sur les crédits bancaires. Là encore, la France pourrait prendre l'initiative d'une grande réunion du groupe des dix pays les plus riches : Belgique, France, Grande-Bretagne, Italie, Pays-Bas, République fédérale allemande, USA, Japon, Canada, Suède. Ils évoqueraient publiquement et clairement la situation actuelle des rapports Nord-Sud, et s'engageraient peut-être à adopter des mesures à long terme comme celles proposées par Ricardo Elozua dans *Eléments* :

> « Le relais doit être pris par les nations prêteuses. Sans exonérer entièrement les banques de la grave responsabilité qui

comme ils signaient hier en sa faveur, dédions cette dépêche du *Monde* en date du 26 août 1983 : « M. John Block, secrétaire américain à l'Agriculture, est arrivé le 24 août à Moscou pour signer le nouvel accord américano-soviétique sur les céréales. Pour M. Block, cet accord doit être considéré comme " la preuve concrète que les Etats-Unis et l'Union soviétique peuvent œuvrer ensemble sur les problèmes de grande signification mutuelle ". Négocié le 28 juillet, cet accord, prévu pour cinq ans, fera passer les achats minimaux de céréales américaines par l'U.R.S.S. de 6 à 9 millions de tonnes par an, et garantit des ventes d'une valeur au moins égale à 7 milliards de dollars sur cinq ans. » Sans commentaire...

repose sur elles, un organisme international prendrait en charge l'essentiel de la dette des pays du Tiers-monde. Les compteurs seraient ainsi remis à zéro. Les banques privées perdraient progressivement le droit d'accès aux marchés internationaux, pour laisser faire les gouvernements. Ceux-ci accorderaient des fonds pour des objectifs précis, en obtenant en échange des contreparties politiques concrètes. Le commerce international, perdant toute stimulation artificielle, se réduirait dans le sens Nord-Sud, pour renforcer les liaisons Sud-Sud et Nord-Nord, c'est-à-dire entre des nations de niveaux économiques comparables. Dans l'optique d'un développement autocentré, chaque grand ensemble homogène (Europe, Amérique du Nord, Afrique...) chercherait à déterminer seul ses objectifs prioritaires de développement, en choisissant les programmes d'investissement et leur financement. Ainsi serait évitée l'importation, par le biais d'une technologie, d'une civilisation étrangère aliénatrice des identités culturelles nationales. »

Peut-être est-il déjà trop tard pour pareille redistribution ? Mais une politique d'Histoire a pour caractéristique de forcer le cours des choses. Et si nos chers intellectuels, légitimement déçus par ce qui s'est passé en Algérie, au Viêt-nam ou à Cuba, tous objets chéris de leurs anciennes flammes, continuent à osciller entre une résignation blasée et d'impuissantes passions, tant pis pour eux. Et pour nous. Car il est vraiment d'autres urgences que de jouer les saules pleureurs.

Cette France dont la représentation médiatisée se tisse de nihilisme et de contemplation de sa propre déchéance, nous en avons assez. Assez d'un pays frileux, recroquevillé sur lui-même, sans vision, sans audace, avec une intelligentsia uniquement soucieuse de gérer ses divers fonds de commerce : Lacan, le Goulag, Dieu, Israël, la sexualité, etc., etc... Assez de ces comédies politiques et intellectuelles si tristes qu'elles feraient la faillite de n'importe quel café-théâtre...

Heureusement, le pays bouge en ses profondeurs : au moment même où le haut clergé culturel adopte la position du fœtus, les Français cessent peu à peu d'être repliés sur eux-mêmes et de croire que leur culture soit unique ou idéale. La circulation grouillante des informations est en train de tout modifier, les peintres mélangent les bandes dessinées et l'hyperréalisme, les architectes font des cocktails explosifs à partir de Le Corbusier et de Gaudi, les stylistes accouplent le ciel et le plexiglass, chaque créateur est l'héritier de la terre entière et prend son bien à Yokohama comme à Roubaix, la rapidité des messages en multiplie le nombre. L'ère des vieilles zizanies et des querelles de préséance prend fin avec l'irruption tourbillonnante du monde entier dans les têtes. De ce gigantesque mouvement de bascule mental, l'homme politique est obligé de tenir compte ; il peut désormais esquisser le chemin d'une Renaissance, celle de la participation active et responsable dans le grand jeu de la culture et de l'économie planétaires. En France, ils sont déjà nombreux, certains à leur insu, d'autres très consciemment, à le jouer. Aucun leader ne pourra affronter victorieusement les échéances des prochaines années sans une claire conscience des nouvelles cartes et des nouvelles règles : cela embrasse tous les aspects de la vie individuelle et collective, du réapprentissage de la courtoisie au mécénat créatif, de l'humour à la biologie du comportement. Désormais, les valeurs commandent l'action. On communique par réseaux segmentés, polycentriques, intégrés ; on fonde des associations qui se divisent, meurent et renaissent, et nul ne s'en plaint. On retrouve paradoxalement la volonté d'engagement personnel, d'implication dans son travail, tant décriés ces dernières années. On apprend de l'Ouest la maîtrise du monde, de l'Est la maîtrise de soi. On regarde d'abord le monde, puis l'Europe, enfin notre pays. Cela choquera certains, mais la meilleure manière d'être français, aujourd'hui, c'est d'être mondial. Nous appelons de nos vœux un Etat National-Planétaire. Après tout, n'est-ce pas depuis toujours le devoir d'un véritable homme politique que de « penser globalement » et d' « agir localement », selon l'expression de René Dubos ? Les intellocrates ne savent plus penser ? Aucune importance : à d'autres de prendre le relais, s'ils désirent perdurer plus longtemps qu'eux.

Car ne nous faisons pas d'illusions, chers compagnons : sans aller jusqu'aux extrémités complaisamment décrites par Borgès, il est temps de changer de peau. Le besoin d'absolu et la soif d'identification, ressentis plus fortement que jamais en cette période de fin des modèles et de décrue des idéologies, nous imposent le devoir d'un grand dessein et d'autres comportements. Le statut d'homme politique ne peut plus paraître comme étant celui d'un détenteur de vérités. Les peuples d'Occident savent désormais d'intuition ce que la philosophie orientale traditionnelle et la science occidentale moderne ne cessent de répéter, à savoir que « la réalité n'existe pas. Il n'y a que des interprétations du monde, et des effets de communication. Le réel naît de nos compromis et de nos aveuglements. Paul Waslawick, un des chefs de file de l'école de Palo Alto, en tire une morale intéressante : de toutes les illusions, la plus périlleuse consiste à penser qu'il n'existe qu'une réalité unique. De là viennent tous les dogmes et les pensées de haine[1] ».

Il faut se faire une raison : les hommes politiques n'ont plus les moyens de leur schizophrénie organisée. La plupart des députés et chefs de partis que je côtoie sont, dans le privé, de charmants convives, des interlocuteurs modérés, sachant faire la part des choses, reconnaissant que l'adversaire n'a pas toujours tort et leur mâche souvent le travail, que la croissance et le plein emploi ont autant de chances de

1. Cité par Frédéric Joignot dans *Actuel*.

réapparaître dans les prochaines années que Ronald Reagan en a de devenir membre de Lutte Ouvrière. Dans les dîners et les réunions privées, nous avons affaire à des êtres intelligents, fins, polymorphes et diserts. Mais dès qu'un micro se tend, qu'une caméra pointe son objectif, qu'un journaliste apparaît, qu'une tribune de meeting se présente, patatras ! Docteur Jeckyll devient, l'espace d'un clin d'œil, Mister Hyde : « La France est fichue, le gouvernement n'est qu'une conspiration de mongoliens à la solde de Moscou, nous sommes déjà à l'intérieur du Goulag, les tickets de rationnement arrivent, bientôt nous allons envier le statut des Ougandais, c'est l'Apocalypse, on ne peut plus continuer comme ça, on ne peut plus attendre, il faut en finir... » Et quand vous les revoyez, après discours ou interview, et que vous les félicitez pour leur prestation en suggérant néanmoins qu'ils y sont peut-être allés un peu fort, ils sourient, angéliques, dans leur plus beau style : « Mon cher, personne n'est dupe, ni vous ni moi, mais que voulez-vous, les élections ne sont pas pour demain, il faut chauffer les militants... »

Vous ne les chauffez pas, ô crétins bien aimés : vous les désespérez ! Le doux plaisir du double langage, institution de base de la vie politique, rapportait quelques dividendes non négligeables du temps des Trente Glorieuses, puisque après l'orgie verbale, chacun retrouvait les siens. Mais aujourd'hui que la part du gâteau s'est réduite à un fil, et que le pâtissier est parti sans laisser d'adresse, vous fabriquez quotidiennement des orphelins de l'espoir qui vous demanderont légitimement des comptes dès votre retour aux affaires ; et vous connaissez suffisamment la situation pour savoir qu'il ne vous sera plus permis d'avoir, comme Edgar Faure, le courage de ne prendre que des mesures populaires.

Mais il est un autre courage que la crise peut susciter par un étrange paradoxe : le plaisir du politique. Le plaisir, vous le connaissez, j'espère, dans votre vie intime ; pourquoi, sortis de la couche conjugale ou adultérine, n'arborez-vous pas quelques reflets de la joie éprouvée sur vos avenantes physionomies, et remettez-vous tout de suite le masque sombre et décidé des chevaliers du Jugement dernier ? Croyez-vous vraiment que les peuples — le vôtre en particulier — aient envie de s'identifier à ça ? Ils préfèrent « E.T. », et on les comprend. Au moins l'extra-terrestre communique un message d'espoir. Et de positivité. La société info-culturelle ne se fera pas avec des têtes d'enterrement ; on ne convainc, dans les nouveaux réseaux médiatiques, que par la séduction et la gaîté. Ce n'est pas parce que nous sommes dans l'opposition que nous ne devons pas, d'urgence, former et informer, commencer par nous former et nous informer.

Et, surtout, arrêter de pleurer : cela me paraît être le premier message à transmettre. Arrêtons de nous sentir vieux, obèses et condamnés. Arrêtons de nous croiser les bras sur les genoux dans la position fœtale des anciennes dépouilles mortuaires, un œil fixé sur notre assiette, l'autre sur la fin du monde. Arrêtons de cultiver la morosité rance et l'absence d'issue, chemins les plus courts vers la violence et l'insécurité. Arrêtons de geindre, mettons-nous au travail. Dans la « participe-action » ludique et festive. Bref, il n'est plus question de parler aux Français comme à des enfants pris en charge, en leur promettant la lune s'ils font le bon choix. Arrêter de pleurer ne signifie pas, faut-il le souligner, se voiler la face sur les désordres du monde et annoncer que tout va pour le mieux. Le voudrions-nous que les médias, chaque jour, nous renverraient le miroir glauque et sanglant du quotidien planétaire. On torture en Iran, on broie des phalanges à Santiago, on arrache des foies à Vientiane, on électrochoque à Moscou, on noie des boat-people en mer de Chine, on lapide à Djeddah... De temps à autre, les guerres du Tiers-monde ouvrent une succursale sanglante en plein Paris, du côté d'Orly ou de la rue des Rosiers. On enregistre, on déplore, et on tourne la page. Mais cette réalité plurielle et dramatique ne doit pour autant ni renforcer un sentiment d'impuissance, ni nous faire tomber dans le piège des culpabilités tournant en cercle fermé. D'Amnesty International aux médecins globe-trotters, l'action individuelle est possible. Mais, là encore, il ne serait pas inutile que les médias prennent à leur tour leur part de responsabilités.

Directeurs et rédacteurs en chef des journaux et radios savent bien que le sacro-saint droit à l'information implique nécessairement des devoirs. A New York, il y a deux ans, j'ai entendu Michael O'Neill, directeur de la rédaction du *Daily News,* l'un des plus grands quotidiens de la ville, s'exprimer admirablement à ce sujet. Il demandait à ses collègues de voir autant le bon côté des choses que le mauvais, de dire l'espoir aussi bien que le malheur. Pour lui, les médias contribuent à la « perte de sens » chez les lecteurs et ont donc l'obligation de contribuer à l'amélioration des choses : « Le corollaire d'un pouvoir accru est une responsabilité accrue. La presse ne peut pas jouer les observateurs " extérieurs " et " objectifs " de la réalité, comme si elle n'était pas partie prenante au processus démocratique. Si nous passons notre temps à exagérer et à dramatiser les aspects négatifs de notre société, nous encourageons, que nous le voulions ou pas, le pessimisme et la démobilisation. En sapant la confiance, nous devenons l'un des facteurs — et non plus seulement le témoin — du déclin national. Est-il vraiment nécessaire de rabaisser tout ce qui porte un nom public, de traquer la vie privée, d'abreuver d'injures les politiciens qui ne sont pas de notre bord et de nous complaire dans la chasse aux ragots au nom du fameux droit du public à savoir ? Certains aspects de la vie n'ont pas forcément à être racontés parce qu'ils existent ou parce qu'ils font une histoire juteuse. » En conclusion, O'Neill ajoutait : « Soyons francs ; nous, journalistes, devrions parfois cesser de croire que le cynisme froid doit être la première de nos vertus. Un brin de générosité et de chaleur humaine ne nous ferait pas de mal. Nous devons chercher le consensus, et pas seulement la contradiction, de façon à ce que notre société ait une chance de résoudre ses problèmes, et que nous autres Américains puissions retrouver un certain taux de confiance et d'unité, afin de relever les immenses défis de ces années quatre-vingts. »

Propositions concrètes sur l'information : un journalisme « de bonnes nouvelles », qui ne se contenterait évidemment pas de la chronique des rois et des reines, des romans-photos du prince et de la bergère, ou de l'actualité « heureuse » des vedettes du disque et de l'écran : cette presse-là, ô combien, existe. Mais un journalisme qui, sans rien dissimuler des misères du monde, parlerait des Français au travail, des créateurs obscurs, des aventuriers de la débrouille, de tous ceux qui, à l'intérieur comme à l'extérieur des frontières, œuvrent à agrandir un peu plus les espaces de liberté par des outils anciens ou nouveaux... Un journalisme de coordination et de mobilisation, qui organiserait des lieux de rencontre et des échanges d'expériences, des témoignages quotidiens, des nouvelles du désir et de la passion, de l'élégance et de l'émotion, de la beauté des formes et du formidable tourbillon des cultures... Cela se fait déjà dans certains journaux, et se retrouve parfois dans certaines émissions : mais pourquoi ce qui n'est aujourd'hui qu'exception ne pourrait-il point devenir l'une des règles principales de l'information ? D'autant plus que le besoin, pour toutes les raisons que nous avons évoquées, s'en fait urgemment sentir...

Que ce soit l'un des responsables de la presse la plus libre du monde qui lance cet appel à une nouvelle éthique paraît de bon augure ; cela évitera en outre que l'on prenne notre souhait pour un appel déguisé à la « directivité » ou à l' « orientation ». Les journalistes sont assez grands pour savoir ce qu'ils font ; mais peut-être n'est-il pas inutile de leur rappeler que si la catastrophe fait vendre, la création, ce n'est pas mal non plus. Le plaisir d'inventer serait-il derechef une idée neuve en Europe ?

ENVOI

POUR UN CONSENSUS SOCIALO-LIBÉRAL

Au terme de cette randonnée à travers l'esquisse d'un grand dessein pour cet Etat national-planétaire qui est désormais le nôtre, il convient de s'adresser aux princes, à ceux qui nous gouvernent comme à ceux qui nous gouverneront. Nous l'avons fait jusqu'ici indirectement : en essayant de démontrer que, dans la société info-culturelle, ils ne peuvent plus jouer sans leur peuple, ni sans les autres princes et les autres peuples du monde. Allons maintenant jusqu'au bout. Que doit faire, à l'heure de la montée des périls, un Prince de la section française de l'Internationale bureaucratico-électronique ?

D'abord, peut-être, contribuer à « casser » ce climat de résignation absurde. Le défaitisme aigri se substitue au silence des majorités. Les groupes sociaux, stratifiés en corporations, défendent âprement leurs privilèges en miettes et, comme toujours, rejettent sur les autres la responsabilité de leurs impasses. Tout cela parce qu'aucune concertation véritable n'a été mise en place ; la liberté d'expression existe en droit, mais ne repose sur aucune réalité pratique en un temps où la technologie incite plus que jamais à de nouvelles formes de prise de parole.

Le propre d'une stratégie efficace, écrit Edgar Morin, est de transformer un obstacle apparent en avantage réel : il cite en exemple les fameux brouillards d'Austerlitz qui permirent à Napoléon de gagner sa plus belle bataille. Le brouillard des incertitudes économiques et éthiques dans lequel nous baignons peut, lui aussi, se transformer en éclaircie régénératrice, si nous savons utiliser et donner à voir nos « ressources humaines », comme l'arsenal de notre patrimoine.

Hier, les bons esprits pouvaient encore s'enfermer dans un certain sourire, un spleen bien tempéré, cependant que la plèbe croupissait dans son impuissance anonyme. Cette belle époque est morte. Ce n'est pas la faute à Voltaire, mais à la Bombe. Devenue la huitième plaie d'Egypte ou le cinquième cavalier de l'Apocalypse, selon les archétypes mythiques de chacun. Ce n'est pas en dépit, mais *à cause* d'Auschwitz et de Hiroshima qu'il faut considérer l'impératif kantien d'une rationalité de l'Histoire; croire, comme Gregory Bateson, comme Marshall MacLuhan, comme Teilhard de Chardin, qu'il existe une entité collective baptisée « écologie de l'esprit », « technostructure planétaire » ou « noosphère », et que cette entité est engagée dans le processus majeur d'une cinquième naissance. Après la naissance à la conscience du clan est en effet venue celle des religions, puis celle des nations, suivie par celle de la personne ; aujourd'hui, la naissance de l'Humanité considérée à la fois comme une et plurielle, impliquant l'art de la tolérance et de la compréhension, apparaît à l'horizon de l'an 2000.

Dans sa lutte, le Prince se sent responsable de son devoir de médiateur, qui consiste à révéler au peuple sa propre parole. Il se sait, en effet, porté moins par les objectifs explicites de ceux qui l'ont élu que par leur inconscient collectif. Le Prince n'ignore pas non plus que l'art de durer exige d'opter résolument pour ce qui rassemble : l'espoir, l'optimisme, la volonté, le désir de passer à l'action, *hic et nunc,* selon ses possibilités propres. C'est en tout cas ce que le Prince doit s'efforcer d'incarner, de suggérer, et, bien entendu, de permettre. La réussite d'une politique d'Histoire consiste parfois à agir dans le sens des désirs, à essayer de leur donner corps dans la réalité globale du monde, fût-ce à contre-courant des opinions affichées.

On ne peut plus dire : « Votez pour moi et je parlerai pour vous ». Cet âge d'or de la démocratie représentative, née du légitime désir de l'égalité en droit, qui régula longtemps les rapports entre l'Etat et la Société civile, bat terriblement de l'aile. Les privilèges des planqués à vie dans les alvéoles du secteur public font rêver les demandeurs d'emploi, alors que ces privilèges sont à leur tour condamnés à mourir de leur belle mort.

Mais la marée haute de la croissance ne s'est pas retirée sans laisser quelques superbes galets : le désir de prendre son bonheur en charge, et de communiquer par tous les signes disponibles — d'où le besoin de paraître en forme, de parler le langage du corps, de jouer avec la nature et le mouvement. On en est venu à aimer la différence, celle des idées comme celle des gestes, celle des cultures comme celle des peaux. Le Prince a appris cette nouvelle logique des signes. Il connaît les valeurs de la séduction et en use abondamment, par le biais des métaphores et des maïeutiques. Il ne croit pas à la fatalité mortelle des stratégies comme le prétendent ceux qui en sont restés au « mektoub » oriental, et qui lisent l'univers comme un livre où tout a été écrit, une fois pour toutes : le déterminisme fatigué des uns engendrant la paralysie désabusée des autres.

Le plus ridicule, dans la vogue du négativisme fataliste, c'est qu'il nous ramène au christianisme d'avant l'invention géniale de l'intelligentsia ecclésiastique du XIIe siècle : le Purgatoire. Un historien comme Jacques Le Goff a su admirablement dépeindre cette brèche formidable, imaginée par des clercs anonymes du chapitre de Notre-Dame et qui va se répandre comme une traînée de poudre. L'humanité n'est plus ficelée pour l'éternité entre Enfer et Paradis, entre méchants et justes ; tout n'est pas joué, on peut s'en tirer : à l'état de résignation se substitue l'idée libératrice du « passage » qui permet la purification. L'erreur humaine est tolérée, le rachat fait exploser le champ des possibles. La Grâce est au bout du libre arbitre, et le christianisme se donne les moyens de devenir une religion de masse.

Le Moyen-Age invente ainsi le principe d'incertitude qui peut se transformer en espoir ; quelques siècles plus tard, deux Prix Nobel de physique feront exploser ce principe au cœur même du déterminisme scientifique ! Admirable glissement d'une métaphore légitimée au bout de huit cents ans, qui peut fournir une morale toujours neuve à un Occident arrivé au bout du nihilisme, se frottant les yeux au milieu des attentats et de la déconfiture économique. Face à ce décor d'incertitudes, le Prince, en effet, peut énumérer les signes de l'espoir : le désir d'entreprendre et de s'impliquer, le retour aux symboles positifs. Il peut dès lors faire appel à la responsabilité, à condition d'offrir un réseau informationnel qui permette à chacun de s'y exercer. Le projet d'un espace libre d'expression à l'échelle nationale n'est pas une fantaisie de fouriéristes en mal d'innovation, mais une mesure cybernétique d'urgence, reliée à un programme de redressement économique où l'Etat jouerait une autre partition. En limitant l'espace télévisuel à trois chaînes, avec des horaires de diffusion restreintes aux repas et aux soirées, nous oublions tous ceux qui ont besoin d'une confrontation permanente avec les bruits et les créations du monde. Et nous ne pensons pas là seulement aux malades, aux personnes âgées ou aux ménagères — qui, de toute façon, mériteraient plus d'attention — mais à tous ceux qui ont envie de se lancer dans leurs passions, de créer et de s'informer. Le crédo du système qui nous gouverne : distraire. Ce qui veut dire : distraire des vrais problèmes sur lesquels Jacques Delors comme Raymond Barre implorent chaque jour que l'on se mobilise. Ô subtils paradoxes des injonctions absurdes...

Conseil désintéressé et gratuit au ministre en particulier, à la gauche en général : réussir à gauche, ce n'est pas scander la grand'messe d'une autogestion aujourd'hui bien occultée ; c'est permettre aux désirs de s'exprimer à travers la multiplicité des réseaux info-culturels. C'est par la diffusion permanente des idées et des moyens que les citoyens gagneront progressivement en autonomie et en responsabilité. Ce n'est qu'alors que pourra advenir un consensus actif, basé sur le besoin de complémentarité reliant entre eux les partenaires économiques et sociaux.

Le Prince doit donc prendre le parti du consensus. Il peut miser sur le fait que le medium informationnel — télévision ou terminal d'ordinateur — suppose nécessairement l'implication du sujet dans ses actes. On n'échappe pas, en effet, aux inconvénients du repérage. Chaque participant au système info-culturel peut être identifié immédiatement. Auteurs, entrepreneurs, décideurs, artisans, financiers, organisateurs : personne ne reste dans l'ombre. Plus de labyrinthe kafkaïen, de tour de babel hiérarchique où se dissimulent et se diluent les responsabilités. En contrepartie, chacun a le droit d'intervenir, d'interpeller, de contester, de s'organiser avec d'autres en groupes de pression agissant sur le réseau de communication.

Aménager une telle structure aux désirs d'entreprendre apparaît comme le meilleur moyen d'éviter la tentation totalitaire du Grand Inquisiteur. Ceux qui redoutent la mainmise d'une autorité centrale sur le réseau informationnel, la dictature d'un Fouché électronique surveillant constamment nos moindres faits et gestes, me font penser à ces témoins de Jehovah qui laissent mourir l'un des leurs plutôt que de le faire vacciner. C'est méconnaître complètement les vertus de l'effet rétroactif que de croire à une possibilité de goulag électronique. Il en va du système info-culturel comme d'un être vivant : il ne peut se régénérer qu'en puisant à l'extérieur la matière-énergie dont il a besoin. En l'occurrence, cette énergie, c'est le feed-back des mille et une autonomies dispersées, le véritable dialogue entre pouvoir d'Etat et désirs des citoyens. Arrêtons de trembler : la machine ne sera que ce que nous en ferons. C'est une vieille lapalissade que de redire encore que l'ordinateur ne renvoie que ce que vous lui donnez : il est logique, pas créatif. Arrêtons de trembler, mais jetons un œil beaucoup plus attentif sur M. Honda sur sa drôle de Vespa, et sur l'ayatollah Komeiny dans ses sinistres comédies. Arrêtons de pleurer — et participons.

Les stratégies fatales des starlettes du désespoir, c'était hier. Il faut comprendre l'Autre, le regarder, celui sur lequel tous les préjugés s'accrochent, toutes les idées se figent. L'Autre : l'amante, la mère, l'ami qui vous a floué, le

« ranger » du Sahel, l'Algérien de La Courneuve. Regarder, et écouter : pour cela, évidemment, lui permettre de s'exprimer. Voici ce qu'écrivent notamment Laufer et Paradeise dans leur magistral *Prince Bureaucrate*[1] : « L'administration ne peut plus légitimer ses actions ni par la source de son pouvoir (elle intervient dans des domaines qui dépassent ceux de la souveraineté traditionnelle) ni par la finalité de son pouvoir (elle intervient dans trop de circonstances, parfois contradictoires, pour qu'il soit possible de la dégager avec certitude). Désormais, elle devra rechercher sa légitimité dans la seule ressource qui reste disponible : les méthodes du pouvoir. Or quels sont les deux griefs essentiels portés contre l'administration ? Le gaspillage et l'inhumanité. Contre le gaspillage, l'administration aura recours aux méthodes rationnelles de gestion, au " management ". Contre l'inhumanité, l'administration aura recours à la participation des usagers : ils ne pourront considérer que leurs propres décisions peuvent être inhumaines. Contre le gaspillage et l'inhumanité pris ensemble, l'administration usera du marketing qui allie la rationalité du management à l'humanité de qui tient compte des besoins humains. »

Jusqu'ici, le management se situait plutôt à droite, et l' « humanité » plutôt à gauche. Une nouvelle figure apparaît ainsi, de ce consensus socialo-libéral que le Prince de la société info-culturelle moderne doit bâtir. Le chemin sera

1. Ed. Flammarion.

rude, mais le Prince connaît la science de l'esquive, de la feinte, du combat selon la ligne de moindre résistance, de la persévérance et du détachement. Comme le samouraï du Bushido, il se moque bien que son destin soit funeste ou non, puisqu'il lui est donné de saisir, à un moment précis, l'harmonie du monde, et d'en faire son arme ultime ; il sait que la vie est un jeu, et que le vainqueur est celui qui rit parce que tout est égal, et plein à ras-bord ! La vie n'est qu'un jeu, qu'il faut vivre en joueur : de Gurdjieff à Montherlant, ce suprême défi reste le fil d'or de la tapisserie princière.

Le Prince devra donner le coup d'envoi de la Renaissance. L'autonomie des individus et des peuples est faite de tant de dépendances que l'on oublie parfois qu'il est une dimension essentielle où elle peut s'exercer : le devenir. Oui, le devenir nous appartient, le contrôle de sa direction dépend de nous, et le Prince peut et doit aider à rendre cette maîtrise possible. Sous prétexte qu'il y a des tyrans, faut-il haïr le politique ? Sous prétexte qu'il existe des Etats totalitaires, faut-il annihiler le dialogue démocratique et ses tensions créatrices ? Sous prétexte qu'il y a des parasites sur la ligne, faut-il raccrocher définitivement ? Sous prétexte des holocaustes qui maculent à jamais les manuels d'Histoire, faut-il renoncer à tout espoir, à toute action ?

Pouvons-nous encore nous regarder sans trop de honte dans le miroir de nos accommodements ? Faisons-nous de la politique, ou la politique nous a-t-elle insidieusement refaits ?

Un gai savoir nous habite : nous reprendrons le pouvoir en 1986. Une inquiétude non moins forte nous étreint : dans quel état serons-nous, à l'heure des échéances ? Bonjour tristesse, surenchère archaïque des négativismes codés : certains se préparent à lancer la grève des impôts quand celle des cœurs et des âmes devrait autrement les préoccuper. Les savantes litanies chiffrées organisent la paix des cimetières du sentiment et de l'enthousiasme. Le théâtre des pourcentages et des courbes ne connaît plus un seul jour de relâche : les candidats à la chaire de sciences économiques s'y bousculent et font assaut de pragmatisme conquis et assumé devant un auditoire morne, qui reste là parce qu'on assure un service gratuit de rafraîchissements. Politiques françaises : bonbons, esquimaux, caramels, chocolats. Entracte des projets, redondance des propos. Quoi de neuf, François Mitterrand, quoi de vraiment neuf, Jacques Chirac, Raymond Barre, Valéry Giscard d'Estaing ?

Le temps du manichéisme s'achève. Nous combattons une gauche qui n'est plus à gauche, au nom d'une droite qui ne peut plus être à droite. Nous ne pouvons plus faire l'économie d'un grand dessein. Celui-ci ne surgira pas d'une gauche trop occupée à se débarrasser de ses vieux démons, ni d'une droite empêtrée dans ses sempiternels refrains aigris. La Renaissance que nous attendons viendra de nos réseaux de l'opposition comme de la majorité, qui travaillent déjà au cœur des institutions politiciennes, dans les mairies et les préfectures, les états majors des partis et les proches entourages des chefs traditionnels ; ils savent, ceux-là, que l'heure d'un nouveau consensus a sonné : consensus de modernité et non d'abandon, de responsabilité et non d'assistance. Pour secouer les vieux dinosaures qui prétendent gérer un avenir qui leur échappe plus que jamais, la nécessité est venue de travailler à la multiplication de commandos lucides et actifs de la modernité. On ne peut plus attendre : le langage moribond des partis fait de moins en moins recette, les esquifs ultra-libéraux et collectivistes font eau de toutes parts ; il est temps que s'inscrive sur les tableaux de bord la troisième voie, celle du Milieu, qui n'aura évidemment que peu à faire avec un centrisme mort sous le poids de ses compromissions, mais beaucoup à voir avec l'impératif catégorique de cette fin de siècle : relier les traditions vivantes, éthiques, morales, bâtisseuses, avec les comportements inédits engendrés par les nouvelles technologies de l'information et de la communication. La France du Village planétaire n'a plus les moyens de s'offrir les joutes hargneuses d'une continuelle mise en spectacle de sa décadence. A l'UDF, au RPR, au PS, il est des gens qui pensent autrement. L'heure est venue de leur regroupement.

Il importe de s'engager à nouveau. Sans œillères, sans credo, sans prophète, sans haine, sans certitude, dans le tourbillon incessant des cinq milliards de cellules qui peuplent la planète. S'engager, tout simplement, à devenir ensemble.

Annexes

Annexe 1

VIVE LA FUITE DES CAPITAUX !

Ce que donne la logique ultra-libérale des « nouveaux économistes », assumée jusqu'au bout. Amusant... et instructif !

« Nous avons dit ce qu'il faut penser de l'argument selon lequel ils [*les « évadeurs »*] seraient responsables, au moins partiellement, du déséquilibre extérieur. Que penser alors de l'argument selon lequel ils manqueraient au devoir de tout Français d'investir en France, surtout dans une période de crise économique et de sous-emploi ? Il y a là comme un écho du slogan — sans fondement — selon lequel il faudrait acheter français. Or, il se trouve que les politiques économiques sont telles qu'en maintenant son patrimoine en France, on est certain qu'il ne pourra pas être aussi rentable que s'il est placé à l'extérieur. Dans une période comme la période actuelle, où le capital est systématiquement détruit par les politiques menées par le gouvernement français, les Français devraient se réjouir de ce que certains d'entre eux aient la possibilité de faire fructifier leur patrimoine là où il est moins attaqué, de telle sorte que de plus grandes ressources se trouveront disponibles pour la production et l'emploi des Français lorsque le moment de leur rapatriement sera revenu. Bien évidemment, ce retour vers la France se fera seulement lorsqu'un gouvernement français aura compris qu'on appauvrit tout le pays en faisant la chasse au capital. Il y faudra une loi d'amnistie — simple annulation de crimes imaginaires —, une autre gestion monétaire, une autre politique économique et fiscale, et la fin définitive du contrôle des changes, c'est-à-dire ce que les gouvernements précédents n'auront pas su faire. En d'autres termes, au lieu de poursuivre ceux qui placent des capitaux en Suisse, il conviendra de faire de la France une nation où les investissements sont rentables et respectés. Le citoyen français doit prendre conscience du fait suivant : celui qui lui nuit n'est pas celui qui place ses capitaux en Suisse, mais celui qui le gouverne et qui ne permet pas à un Français de trouver en France la rémunération de son capital à laquelle il devrait avoir droit. Pourquoi acceptons-nous comme normal que l'Etat français nous impose l'utilisation d'une monnaie, le franc, qui nous fait perdre au moins 10 % de pouvoir d'achat chaque année ? Pourquoi acceptons-nous qu'il nous interdise d'utiliser une meilleure monnaie produite par d'autres, par exemple le DM, le franc suisse ou le dollar, ou toute autre monnaie à inventer ? Rien ne peut justifier cet incroyable monopole que personne ne tolérerait de n'importe quelle firme privée. »

(Extrait d'un article de Pascal Salin, professeur à l'Université de Paris, dans le n° 17 de « *La Nouvelle Lettre* ».)

Annexe 2

BILAN DU COMMERCE EXTÉRIEUR EN 1982

Voici une note confidentielle du Ministère du Commerce extérieur, aussi intéressante par ses informations que touchante par le volontarisme naïf de ses recommandations.

I. — RÉSULTATS D'ENSEMBLE

1° *Déficit global :* 93,3 milliards de francs soit 43 milliards de plus qu'en 1981 (50,6 milliards).

Causes de la dégradation de 43 milliards :

- *Hausse du dollar :* de 4,20 en moyenne en 1980, à 5,40 en 1981, à 6,60 en 1982... (et à plus de 8 F en 1983 !) Soit plus 21 % entre 1981 et 1982 et plus 55,5 % par rapport à 1980. La facture énergétique a augmenté de 16 milliards de francs.
- *Conjoncture plus soutenue en France qu'à l'étranger :* l'écart de croissance de la demande interne est de 2,5 points entre la France et la moyenne des pays de la CEE et de 3 points entre la France et les pays de l'OCDE.

2° *Importations : augmentation de 16 % en valeur.*

Causes de cette poussée :

• Les dévaluations du franc et la hausse du dollar ont renchéri le coût des produits importés.

• Incapacité de certains secteurs, notamment de l'automobile, à répondre à l'augmentation de la demande.

• Absence d'offre française dans l'électronique ou les biens d'équipement des ménages.

3° *Exportations : augmentation de 10 % en valeur, c'est-à-dire une diminution de 2 % en volume.*

Causes de ce recul :

• Chute de la demande de nos principaux partenaires européens et des pays du Tiers-monde ou de l'Est qui ont subi des difficultés financières.

• Les faiblesses traditionnelles des exportateurs français ont pesé davantage car la concurrence se faisait plus dure sur les marchés extérieurs.

Ces faiblesses sont : insuffisance des investissements commerciaux, défaut des services après-vente.

• L'industrie française a préféré augmenter ses marges plutôt que de profiter de la hausse du dollar pour exporter davantage.

II. — QUELQUES EXEMPLES D'AGGRAVATION SECTORIELLE

• *Les importations de café, de cacao et de fruits tropicaux* qui subissent l'appréciation du dollar ont augmenté en valeur de 27 %.

• Malgré une baisse du volume des importations de pétrole, la facture pétrolière a augmenté de 11 milliards.

• *Les produits industriels destinés aux ménages* enregistrent de fortes poussées d'importation :

• *Dans l'électronique grand public et l'électroménager,* le déficit augmente de 3 milliards en 1982.

• Pour les voitures, l'excédent diminue de 4,5 milliards par rapport à 1981, les importations ont augmenté de 42 % et les exportations de 10 %.

• Pour les biens de consommation courante, le déficit de 1982 (8 milliards) est trois fois supérieur à celui de 1981.

• Pour *les papiers et cartons,* le déficit atteint 4,4 milliards du fait des insuffisances de l'offre française.

III. — RÉSULTATS GÉOGRAPHIQUES

Déficit avec les pays de l'OCDE : 108 milliards de F. au lieu de 60 milliards en 1981.

Déficit vis-à-vis de la CEE : 64 milliards de F. au lieu de 31,5 en 1981.

Déficit avec la RFA : 38 milliards de F. au lieu de 23 milliards en 1981.

Déficit avec les Etats-Unis : 25,5 milliards au lieu de 22 milliards en 1981.

OBSERVATIONS

— Nous sommes déficitaires vis-à-vis de tous les pays de la CEE, sauf la Grèce, et nos excédents traditionnels avec l'Italie et la Grande-Bretagne sont devenus des déficits.

— Notre principal excédent est avec les pays en voie de développement non pétroliers : 22 milliards de francs.

POINTS FORTS ET POINTS FAIBLES DE NOTRE COMMERCE EXTÉRIEUR (EN 1982) PAR SECTEURS

1. PRINCIPAUX DÉFICITS (en milliards de francs)

1. Pétrole brut	129,5
2. Gaz naturel	23,1
3. Produits pétroliers raffinés	15,9
4. Houilles et lignites	9,1
5. Fruits et produits tropicaux (café, cacao, thé)	8,5
6. Huiles et corps gras bruts	8,5
7. Viande fraîche	6,3
8. Matériel de traitement de l'information	5,8
9. Autres métaux non ferreux	5,7
10. Appareils d'enregistrement du son et de l'image	5,4

2. PRINCIPAUX EXCÉDENTS (en milliards de francs)

1. Cellules d'aéronefs	11,2
2. Pièces pour automobiles	10,7
3. Blé tendre	10,5
4. Voitures particulières	7,8
5. Sucre	5,9
6. Spécialités pharmaceutiques	5,7
7. Produits de la parfumerie	5,4
8. Vins AOC	5,0
9. Tubes d'acier	4,9
10. Produits de la construction métallique	4,3

PRINCIPAUX SOLDES EXCÉDENTAIRES ET DÉFICITAIRES PAR PAYS EN 1982

1. PRINCIPAUX EXCÉDENTS BILATÉRAUX (en milliards de francs)

1.	SUISSE	8,9
2.	IRAK	6,7
3.	EGYPTE	4,3
4.	INDONESIE	3,9
5.	TUNISIE	3,5
6.	GRECE	3,4
7.	MAROC	3,4
8.	CONGO	2,5
9.	CAMEROUN	2,5
10.	LIBAN	2,2

2. PRINCIPAUX DÉFICITS BILATÉRAUX (en milliards de francs)

1.	RFA	38,1
2.	ARABIE SAOUDITE	35,2
3.	ETATS-UNIS	25,4
4.	PAYS-BAS	14,1
5.	JAPON	13,0
6.	ALGERIE	11,9
7.	UNION SOVIETIQUE	8,6
8.	UEBL	6,1
9.	NORVEGE	5,9
10.	ESPAGNE	4,4

COMMERCE EXTÉRIEUR : ATOUTS ET FAIBLESSES

I. — LES MOTIFS D'ENCOURAGEMENT

1. *En 1982, malgré la crise et le rétrécissement du marché mondial, nous avons réussi à maintenir notre part du marché mondial.*

Notre part du marché : 10,2 % en 1982 au lieu de 10,5 % en 1981. Cette très légère diminution est à comparer avec la diminution de 1,2 % entre 1980 et 1981, alors que la crise était moins aiguë.

2. *Les secteurs où nous avons progressé en 1982 :*

— Les *grands contrats* sont passés de 120 milliards en 1981 à 135 milliards en 1982.

— Les *cellules d'avions,* où notre excédent a augmenté de 5 milliards de francs (9,8 milliards en 82 contre 4,3 milliards en 81).

— *Le matériel de mine* où notre excédent a progressé de 2,3 milliards en 1982 (3,4 milliards en 82 contre 1 milliard en 1981).

— *Le téléphone* où notre excédent a augmenté de 50 % (1,6 milliard en 1982 au lieu de 1,1 milliard en 1981).

— Les *spécialités pharmaceutiques :* + 5,7 milliards en 1982 contre + 4,8 en 81.

— Les *tubes d'acier :* + 4,8 en 82 contre + 4 en 81.

3. *Les secteurs où nous avons un fort excédent :*

— Agro-alimentaire : + 15 milliards en 1982 (21 milliards en 1981).

— Les pièces pour automobiles : + 10,7 milliards.

4. *Nous avons mis en place, ou nous efforçons de mettre en place des outils et une politique pour nous défendre contre la concurrence déloyale :*

Les outils

- Sur le plan intérieur : la commission consultative du commerce international.
- Sur le plan européen : nous poussons nos partenaires à nous doter d'instruments renforcés contre le dumping et les détournements de trafic.

Une politique

- Pour protéger notre marché contre l'inégalité de traitement (ouverture de notre côté non compensée par l'ouverture de l'autre) ou pour obtenir de vraies contreparties.
- Pour défendre nos exportations traditionnelles. Ex : nous accordons des crédits aussi avantageux que ceux des USA lorsqu'ils essaient de nous prendre nos débouchés agricoles (Maroc, Egypte).

II. — NOUS POUVONS FAIRE MIEUX ENCORE

1. *Nous avons des déficits aberrants compte tenu de ce que nous avons et de ce que nous sommes :*

— Nous avons la plus grande forêt d'Europe et pourtant notre déficit *Bois* est constant et s'aggrave (3,4 milliards en 1982 contre 2,9 milliards en 1981).

— Nous avons la plus belle agriculture d'Europe et l'une des plus fortes du monde (après les USA) et pourtant notre déficit *Porcs* est constant et est croissant (4,4 milliards en 1982 contre 3,3 milliards en 1981); *Fleurs :* (1,2 milliard de déficit en 1982 contre 1 milliard en 81).

— Nous avons d'excellents pêcheurs et une flotte de pêche importante et pourtant notre déficit *Poissons-crustacés* (non préparés) est constant et s'aggrave (3,2 milliards en 82 contre 2,7 milliards en 81).

— Nous sommes parmi les premiers producteurs de tabac du monde et pourtant notre déficit est constant et s'aggrave (3 milliards en 1982 contre 2,3 milliards en 1981). *Explication :*

• Alors que le goût des Français change et s'oriente vers le blond américain, nous ne *savons* pas faire la « sauce » de ces cigarettes (agents de texture).

— Nous avons été parmi les meilleurs dans la machine-outil et pourtant notre déficit 81 était encore de 1,9 milliard. *Explication :* abandon complet du secteur à la fin des années 1970.

— Nous avons du bois, de l'acier et notre goût est réputé, et pourtant notre déficit *meubles* est passé de 3,3 milliards en 1981 à 4,5 milliards en 82. *Explication :* le design italien est meilleur, les matériaux nordiques sont moins chers.

2. *Nous devons être des acheteurs conscients comme nous sommes des citoyens conscients :*

— Il s'agit, à chaque fois que nous achetons quelque chose, de nous dire : « Je regarde le prix, j'apprécie la qualité. Est-ce que je ne devrais pas *aussi* me renseigner sur l'origine du produit ? » Ensuite, libres de notre choix, nous achèterons...

— Certes, tous les produits ne sont pas marqués mais :

• beaucoup le sont ou n'ont pas besoin de l'être (voiture)

• l'on va faire un effort pour *mieux informer le consommateur.*

— Il faut que nous soyons cohérents. Nous ne

pouvons pas dire « ce déficit est épouvantable mais ce n'est pas mon problème, c'est celui du Gouvernement ».

La priorité du Gouvernement c'est aussi la priorité de chacun, car nous sommes tous concernés par ce déficit :

- qui menace notre indépendance et notre niveau de vie
- qui est quelque chose que nous pouvons maîtriser par la somme de nos choix, *individuels* et *quotidiens*, de consommateurs.

3. *Nous devons continuer à mettre en œuvre une politique tenace à trois niveaux :*

au niveau global :

- lutte contre l'inflation et orientation du revenu des ménages vers
- l'épargne et de celle-ci vers l'investissement.

au niveau industriel :

- allègement des charges des entreprises
- recherche et investissement
- faire des nationalisées le fer de lance de l'exportation tout en respectant l'autonomie de gestion des dirigeants.
- restructurer notre industrie pour qu'elle produise plus et mieux.

en matière commerciale :

- L'Etat et l'Administration peuvent mieux aider nos entreprises, surtout petites et moyennes, à exporter, par un meilleur effort de prospection des marchés étrangers. Les Banques françaises qui sont bien implantées à l'étranger peuvent guider les entreprises qui abordent les marchés nouveaux pour elles.

• Mais il faut aussi que dans chaque entreprise, le souci de mieux vendre, d'améliorer le service après-vente, de raccourcir les délais de livraison, devienne une priorité. Cela est indispensable pour que nos produits soient compétitifs en France et à l'étranger. Il ne suffit pas de produire, ce que nos entreprises font bien, il faut déployer autant de talent et d'imagination pour vendre.

Table

Table

Achevé d'imprimer en décembre 1983
sur presse CAMERON
dans les ateliers de la S.E.P.C.
à Saint-Amand-Montrond (Cher)

Dépôt légal : décembre 1983.
N° d'édition : 6741. N° d'Impression .2093.
Imprimé en France

H/35-7110-6